OGNI M
DESIDE

STELLA BLACK

OGNI MIO DESIDERIO

Autobiografia erotica

PIEMME

Titolo originale dell'opera: *Daddy's Girl*

Traduzione di *Amedeo Romeo / Grandi & Associati*

Redazione e fotocomposizione: *Agostudio, Alessandria*

I Edizione 2008

15033 Casale Monferrato (AL) - Via Galeotto del Carretto, 10
info@edizpiemme.it - www.edizpiemme.it

Stampa: arti grafiche TSG s.r.l., via Mazzini, 4 - Asti

A Tim Woodward,
che tanto ha fatto per illuminare il mondo.

«Questo libro trae spunto dalla mia storia personale e racconta di un uomo più vecchio con cui ho avuto una relazione dal 1982 al 1989. Lo amavo molto. I dettagli sono tratti dai diari che ho tenuto per tutta la vita, ma i nomi sono stati cambiati, così come alcuni luoghi, per tutelare la privacy delle persone coinvolte.»

STELLA BLACK

1

1982

Aveva molta immaginazione, e la sua immaginazione era del tutto coinvolta nella creazione di scenari sessuali e drammi erotici. Aveva tempo. Le ore dedicate al lavoro, di fatto, implicavano il mantenimento delle sue proprietà e i movimenti del suo patrimonio. Lo aveva ereditato quando aveva ventotto anni, e ora contemplava diversi conti alle isole Cayman, un fax e telefonate a notte fonda. Trascorreva ore a leggere il «Financial Times» e a fissare i prezzi delle azioni. Io non sapevo quanto fosse ricco, ma la casa sulla Cheyne Walk assomigliava al museo di Sir John Soane, senza i custodi. Quasi non ti potevi muovere in mezzo a tutti quei tavoli e ai raffinati scrittoi di noce con intarsi di madreperla e certificati di provenienza.

Le persone sgranavano gli occhi quando mi sgridava, non si rendevano conto che a me piaceva, amavo prendere ordini.

«Vieni qui!»

«No.»

Mi schiaffeggiava con il palmo della mano, sul sedere, sulle cosce, davanti e dietro, ancora e ancora, fino a che non annusava, percepiva, sentiva che le mie suppliche erano autentiche. Ero sempre bagnata, in lacrime e disperata per lui.

Ah, come sono. Per me non c'è niente come una romantica storia d'amore.

Prima non avevo mai realizzato che fosse possibile mettere in pratica le immagini della vita interiore. Spesso avevo sperato che lo fosse, ma dove trovare l'alleato? Dove trovare l'uomo con la maestria, l'immaginazione, la generosità, la saggezza e il coraggio necessari? Dove trovare la persona priva di imbarazzi e inibizioni, desiderosa di abbandonarsi per dare piacere a una ragazzaccia cattiva?

Eccola qui.

Daddy apparve come se lo avessi evocato. Lo incontrai a un party in una grande casa di Londra. C'erano champagne, una vecchia pop star e una stanza colma di visi paonazzi e giacche da sera nere.

Io sono piccola. Non piccola quanto la regina, ma all'incirca un metro e sessantacinque, uno e settanta con le scarpe. Sono esile – immagino che si possa dire androgina – e lo sarei ancora di più se non fosse per i seni un po', ma non troppo, più grandi di quanto dovrebbero essere. E sono scura: frangetta nera, ciglia nere, sopracciglia nere, anima nera. Perciò eccomi, in *moiré* verde, fianchi stretti da una cintura, gradevole décolleté, scarpe nere con i tacchi a spillo, calze con la cucitura.

Dopo venti minuti trascorsi a farmi respirare addosso da diversi seccatori, partii in esplorazione della residenza, uno di quei posti con la piscina coperta, colonne ioniche e numerosi Chagall originali. Immaginai che il padrone di casa fosse uno di quei rari individui provvisti sia di denaro sia di buon gusto.

Al terzo piano scovai una stanza da bagno delle dimensioni di un appartamento, con due lavandini di marmo, specchi e una vasca al centro, attorno alla quale c'era un'impressionante collezione di bagnoschiuma di Floris. Perciò versai nella vasca quello al geranio. Chi non l'avrebbe fatto? Forse il vescovo di Carlisle non l'avrebbe fatto, ma chiunque altro sì. Aprii il getto del rubinetto vittoriano (autentico).

Il vestito scivolò a terra, una macchia verde sul tappetino del bagno; scovai una spugna naturale della dimensione della mia testa.

Mi stavo rilassando, immersa tra le deliziose onde calde profumate di geranio, quando lui entrò. Io ero, com'è ovvio, completamente nuda, sebbene le alte pareti bianche della vasca vittoriana celassero almeno in parte agli sguardi quello che non tutti possono vedere.

Non si scusò. Mi rivolse a malapena uno sguardo. Subito pensai che non mi avesse notata, una sensazione insolita per me. Io vengo sempre notata. Vi assicuro che è così.

Non fece altro che attraversare il soffice tappeto bianco, tirarsi fuori l'uccello e fermarsi davanti al water. Non gli diedi la soddisfazione di guardare né lui né il suo affare. Poi si sedette sul bordo della vasca e mi scrutò attraverso il vapore.

Io non dissi nulla, ma lo fissai dritto negli occhi mentre mi insaponavo, soprattutto i seni, che non erano particolarmente sporchi, almeno non nel senso comune della parola. Quindi, sempre guardandolo, infilai una mano tra le gambe e mi strofinai. Sorrise ma rimase in silenzio.

Mi alzai e mi sciacquai con la doccia, assicurandomi che potesse godere in pieno del mio lato posteriore che, con un'adeguata presentazione, potrebbe provocare il tamponamento di un autobus con un'auto della polizia.

Ho un culo perfetto. È così. Non posso farci nulla. Tutti ne parlano di continuo e io non ho nessun problema a mostrarlo. Negli anni Ottanta non si usava il tanga, altrimenti lo avrei indossato.

Tornai a sdraiarmi nell'acqua, a gambe aperte, le punte dei piedi sui bordi, con le piccole unghie cremisi che ammiccavano, e le piccole labbra cremisi leggermente discoste a rivelare il clitoride.

Si prese il suo tempo, sapevamo tutti e due che stava a lui condurre il gioco. L'acqua quasi divenne fredda. Io non sono una persona paziente, né sono disposta a rimanere seduta nell'acqua gelida per chicchessia. Alla fine si alzò e raccolse un ampio asciugamano bianco dalla traversa d'argento.

«Vieni da Daddy» disse. «È ora di andare a letto.»

Ero a casa.

Ricordo la prima volta.

Avevo ventitré anni, ma non l'avreste detto se mi aveste vista sdraiata a pancia sotto sul letto di casa sua, con le mutandine di cotone a pallini e le calze coordinate, a leggere fumetti e mangiare dolcetti.

"Sono Lolita" pensai. Ma si può essere Lolita ed esserne consapevoli? Si può essere Lolita di proposito? Forse una donna non può essere Lolita, a meno che un uomo non decreti che lo sia, così come un albero non può emettere un suono se non c'è qualcuno che lo ascolta? La ragazza sta nell'occhio di chi guarda, non può crearsi da sola. Una ninfetta può pensare? Una ninfetta può essere una ninfomane?

Forse penserete che le mie aspirazioni fossero un po' distorte: ero una donna adulta e avrei dovuto puntare ad altro che a giacere, compiaciuta di me stessa, nella casa di un'agiata figura paterna. O forse avreste voluto essere me, o a meno che aveste voluto essere Daddy! Il mio eroe. Sempre duro, sempre controllato, capace di ottenere tutto ciò che voleva.

Mentre voltavo le pagine colorate di *Beano*, un po' di cioccolato macchiò il copriletto e lui si infuriò. «Per Dio, Stella» disse. «È seta del diciottesimo secolo. Non si può lavare a secco, si distruggerebbe.»

«Be', allora è molto stupido tenerla sul letto» risposi, infilandomi in bocca un altro dolcetto. «Dallo al Victoria & Albert Museum, o qualcosa del genere.»

Voltai la pagina e trovai Dennis the Menace e Gnasher.

Lui non disse nulla, si limitò a togliere *Beano* dal letto e a posarlo sul comodino. Poi afferrò i dolci e ce li mise sopra. Raggiunse la toletta dove, in mezzo a una fila di spazzole per abiti antiche ce n'era una per capelli con il telaio d'argento, che un tempo era appartenuta a un'anziana zia.

Mi ghermì e mi fece distendere sulle sue ginocchia, mi calò le mutandine così da trovarsi il mio sedere nudo sotto il viso. Mi percosse con tutta la forza che aveva nel braccio destro.

Fui sopraffatta da una totale, assoluta, degradante mortificazione. Mi ritrovai in un territorio molto giovane, nascosto e assai difficile da delineare. Non sapevo con precisione dove fossi. Fisicamente ero a faccia in giù, avevo il sedere nudo ed esposto, la fica e il buco del culo erano a sua disposizione.

La sua forza era schiacciante e io dovetti arrendermi alla prima punizione sessuale della mia vita. Mi sculacciò sulle natiche e sulle cosce. Poi, dopo aver atteso un minuto per controllare le striature rosse, mi sculacciò ancora, forte, proprio sui segni.

Tentai di fuggire, mi divincolai e mi lamentai, poi urlai e lo minacciai. Ma lui si limitò a piazzare una gamba tra le mie cosce, così che non potessi muovermi.

La stanza risuonava del rumore sordo dei suoi colpi. Il dolore divenne più acuto, la pelle bruciava. Il lieve rossore si trasformò in rosso fuoco. Mi schiaffeggiò le cosce, poi tornò al culo, ancora, ancora, per circa venti minuti, finché l'eccitazione e il disagio si mescolarono e io mi abbandonai alla vera trascendenza della totale sottomissione.

Continuò a sculacciarmi, poi a masturbarmi, poi a sculacciarmi di nuovo. Io scoppiai in singhiozzi come una bambina. Sopraffatta dall'umiliazione, dal dolore e da un desiderio opprimente di sentirlo dentro di me, gemetti. «Mi dispiace. Mi dispiace. Non lo faccio più.»

«No, non lo farai. Alzati con la schiena rivolta verso di me.»

Riuscii a fatica a mettermi in piedi, arruffata e in lacrime. Avevo le mutandine alle ginocchia. Me le sfilai con tutta la dignità che potei raccogliere. Ogni sensazione palpitava nella metà bassa del mio corpo, il sedere in fiamme, la fica pulsante. Disperata. Posai le mani sulla passera fradicia. Le dita scomparvero nella carne. Ero aperta. Molto aperta. Non ero mai stata tanto scientemente vulnerabile in vita mia. E ora dovevo entrare in un territorio in cui mi sarei concessa del tutto a quest'uomo. In cui mi sarei fidata, certa che non avrebbe davvero abusato di me. Che non mi avrebbe davvero fatto del male.

Era un confine sottile. Come avremmo saputo, sia lui sia io, quando fermarci? Dove saremmo arrivati ora che avevamo cominciato? Ci sarebbe stato sangue? Cicatrici? Sporche umiliazioni? Pericolo? Avvertivo già il dramma della tentazione di andar sempre oltre.

«Togliti le mani dalla fica, Stella.» Non aveva alzato la voce; aveva un tono deciso, sicuro di essere obbedito, il timbro era quello di un uomo che espone un dato di fatto incontrovertibile, e non di una macchietta che impartisce ordini. «Ormai dovresti sapere che non devi avvicinare le mani al tuo corpo, a meno che io non ti abbia dato il permesso di farlo. Mi capisci?»

«Sì» dissi.

Scostai le mani.

Si sedette sul bordo del letto, mi guardò la schiena e il culo, come se studiasse un quadro in una galleria deserta.

Ero bella da nuda, lo sapevo. Il mio culo era sodo, tondo, armonioso; come le tette, che erano state ammirate fin dalla loro benvenuta (seppur tardiva) comparsa attorno al mio diciottesimo compleanno. Fino ad allora ero stata un ragazzo, davvero. Non mi importava. Stavo bene con i vestiti da maschio, ed erano comodi per ballare. Attraevo i trans, e non mi importava, anche perché di solito erano più divertenti.

Ero un bellissimo dono per Daddy; un capolavoro. Confortata dalla pura vanità, mi sentivo della materia delle opere di Ingres o di Rodin; perfetta e bianca.

Niente a che vedere con la pornografia. Non ero una da paginone centrale. Non vedevo me stessa come l'incarnazione delle più banali fantasie perverse – la scolaretta, l'infermiera – ma piuttosto come la sublime rappresentazione della bellezza tormentata. Ma adesso ero una ragazzina, nuda e arrossata, rossa in volto, e rossa sul posteriore. Mi lasciavo ammirare da un uomo ammutolito dalla bellezza pesta che aveva creato.

A Daddy piaceva osservare, gli piaceva guardarmi mentre camminavo verso di lui, nuda, alla luce delle candele, muovermi lentamente lungo il corridoio scuro. Mi rimandava indietro e mi diceva di camminare più adagio, più eretta, e poi, quando gli giungevo di fronte, mi chiedeva di compiere qualche piccolo gesto di sottomissione. Accennare un inchino, magari, o inginocchiarmi davanti a lui, in modo che potesse aiutarmi ad alzarmi.

Non mi chiese mai di baciargli le scarpe, e io non avrei voluto. Non eravamo in un dramma in costume dopotutto, e mettere in scena in chiave erotica sceneggiature di seconda scelta sarebbe stato troppo patetico per me. Io non baciavo le scarpe di Daddy, per quanto fossero eleganti, sempre di Church's. Di tanto in tanto le lucidavo, se volevo proprio compiacerlo o se ero sinceramente pentita per qualche malefatta.

A volte quando Daddy chiamava, andavo verso di lui con indosso una camicia da notte lunga con le balze, profumata di bagno, calda e bagnata, e questo era il bacio della buonanotte. Mi prendeva per mano, mi portava in camera da letto, rimboccava le coperte, spegneva la luce, lasciava accesa una lampada in corridoio e andava ad assolvere a qualche compito da adulto cui io non potevo partecipare. Né avrei voluto. Le attività di Daddy erano noiose. Giocava a bridge, tanto per cominciare, o andava a quei party in cui devi rimanere in piedi per un'ora e mezza.

In quel primo istante, in quell'istante nel marzo 1982, quando Daddy mi punì per la prima volta, e io ne fui compiaciuta, eccitata, grata, mortificata e confusa, il mio io indecente danzò come un'ombra per la stanza, liberato. Non sviscerai quelle fugaci sensazioni al momento, certo che non lo feci. Defluirono altrettanto dolcemente come erano arrivate e mi lasciarono in un presente colmo di disperato bisogno sessuale.

Daddy si alzò e si mise in piedi dietro di me. Indossava dei pantaloni di soffice lana nera, tagliati stretti sui fianchi e ampi sulle gambe, un modello diffuso negli anni Trenta e riportata in voga da David Bowie. Daddy aveva sempre un aspetto magnifico. Era molto alto e snello, con la vita sottile, le gambe lunghe, le spalle strette, ma le braccia muscolose, come avevo appena scoperto. Il suo cazzo era grande. Non mi sarebbe interessato se non lo fosse stato. Era in piedi dietro di me, e percepivo la sua altezza. Mi accarezzò il collo, poi le dita scivolarono sulla schiena e con dolcezza si presero cura del mio povero sedere sculacciato.

«Ah, Stella» sussurrò, «mia adorata. Il tuo Daddy è qui e ti ama.»

Sopraffatta, mi voltai e lo baciai come non avevo mai baciato nessuno prima di allora, con amore e passione, e lunghi minuti nei quali ci fu solo il presente e nessuno avrebbe potuto separarci.

Mi restituì il bacio, indietreggiò e mi spinse con delicatezza sul letto. Ero supina, lo guardavo in volto, occhi negli occhi. Mi sollevò le gambe e me le portò sopra la testa. Quindi fece scivolare un dito lubrificato nel mio passaggio posteriore. «Toccati, Stella. Voglio che ti rilassi.»

Così io mi carezzai e mi portai lentamente alla soglia dell'orgasmo, mentre lui faceva scivolare il suo maestoso dito dentro e fuori l'ano, attento a non farmi male, allungandosi per entrare meglio, incoraggiandomi a fare ciò che mi era stato detto.

Io obbedii.

Mi baciò sulle labbra.

«Inginocchiati sul pavimento con il culo verso di me e il viso sul bordo del letto.»

Lasciò la stanza e io rimasi in ginocchio per un minuto o due. Le natiche scarlatte in mostra. La fica bagnata. Il buco del culo pronto per lui. Le guance arrossate sulla seta antica. E lentamente, con il cazzo avvolto in un preservativo, lui si fece strada dentro di me. Con molta delicatezza. Dentro, sempre più dentro. Io ero in ginocchio, piagnucolavo e gemevo, ma gli permettevo di entrare.

Poi ci fummo solo io, lui, il suo cazzo e il mio ano. Ero dominata, giovane e molto cattiva. Anche lui era un uomo cattivo e si trovava in un luogo selvaggio. Ma mi piaceva. Era confortante, e gli dava piacere, perciò mi piaceva ancora di più.

Nell'aria si sentiva il nostro odore e l'odore del cioccolato. Iniziò a spingere con più forza, poi venne.

Mi abbracciò. Io piansi di nuovo, sopraffatta dall'emozione, dalla nuova sensazione e da quegli stimoli non ancora familiari.

Avevo un seno, delle gambe e una fica da donna matura, ma il nucleo emotivo di una ragazza in cerca di qualcosa di grande, maschio, perfetto. Nel profondo c'erano parti di me di cui ero a malapena consapevole, ma con le quali lui ora era coinvolto, e che potevano essere toccate solo per mezzo di emozionanti giochi erotici e sesso penetrante.

L'ascendente di Daddy toccò memorie rimosse e le riportò in superficie. Era generoso e potente e sapeva come usare la sua virilità per scovare in una donna cose che andavano oltre la capacità tecnica di raggiungere l'orgasmo. Era perfetto perché non era informato sui manuali di sesso, sulle aspettative delle donne o sull'assurda missione di trovare il clitoride, come se fosse nascosto da qualche parte nel Borneo e fosse stato scoperto solo di recente. Non cadeva in queste piccolezze; non penso che avesse imparato dai giornali. Credo che avesse imparato da se stesso e dalle donne della sua vita, e ce n'erano state molte. Aveva un talento per scoprire le verità intime.

La mia infanzia, se così si può definire, è stata bizzarra. I primi anni sono trascorsi in una casa colma di armadi che contenevano mostri squamosi e pelosi, che sussurravano e facevano paura. La mamma non c'era. Era un maschio a mettermi a letto. Mio padre. Era affettuoso e mi amava, e poi se n'è andato e non è tornato.

Mio padre e mia madre se ne andarono, ma mia madre era già andata prima del padre e prima che potessi ricordarla, perciò la sua scomparsa non fu mai rilevante. Ero una bambina. Non importava. Aveva un tumore, in verità, perciò è andata così. Il padre però va e viene nei primi ricordi. Poi uscì e non tornò mai più. Suppongo che avessi circa sei anni quando morì, perciò doveva essere più o meno il 1965.

Non so quanto tempo trascorse prima che realizzassi che non sarebbe più tornato. Me ne stavo seduta sul bordo del letto, notte dopo notte, per ore e ore a fissare la tappezzeria a fiori. Le gambe ciondoloni, guardavo il vuoto, palpitavo per l'orrore dell'invisibile. Vasi di fiori colmi di indescrivibili malignità. Rumori che annunciavano le sciagure cagionate dalle anime inquiete. Le bambole erano vive.

I Cyberman e i Dalek non mi avevano mai fatto paura quando c'era lui in giro, ma ora parevano raccapriccianti e le voci si sentivano molto dopo che la televisione era stata spenta.

Divenni (per un breve periodo) religiosa, perché ero sola e spaventata e, a ripensarci ora, ne avevo tutte le ragioni. Pregavo Dio, che secondo quanto mi avevano detto a scuola, era chiamato anche "Il Padre", perciò pensavo che fossero una sola persona: quello che controllava che negli armadi non ci fossero mutanti e che rideva in faccia agli stermini dei Dalek, e Quello che rimetteva i nostri peccati. Erano la stessa persona. Ma né il primo, né il secondo, né chiunque altro, si occupava di me, e io affrontai il mondo da sola. Piuttosto confusa. Confusa su dove e cosa fossi. Confusa riguardo agli uomini e al potere. Non capivo come Dio potesse essere mio padre e come potesse vivere in paradiso, ma fosse riuscito in qualche modo a scrivere la Bibbia e a essere anche l'ombra distante di un ricordo insoddisfacente.

Nessuno mi spiegava nulla, perciò lo elaborai da sola. Lo elaborai in maniera del tutto sbagliata, suppongo, solo che non c'era nessuno che mi dicesse cosa fosse giusto e cosa sbagliato.

Non potevo chiedere a mia nonna, perché l'alcol non

le consentiva di fare grandi discorsi. Parlava a sproloqui e di tanto in tanto entrava nell'armadio della lavanderia, pensando che si trattasse della porta d'ingresso. Una volta se ne andò di casa per un mese, senza nemmeno una valigia, e quando tornò disse di essere stata a Monaco a ballare lo shimmy.

Tutti quanti ne erano scandalizzati, ma io l'adoravo. I suoi cappelli erano fantastici, e guidava una Austin Healey a cento chilometri all'ora su e giù per Shaftesbury. Ma non mi disse mai nulla.

Così la nonna giaceva a faccia in giù sul pavimento dell'atrio, ogni tanto rideva, ogni tanto singhiozzava, spesso era priva di coscienza, mentre mio padre rimaneva un mistero nel profondo delle cellule mnemoniche del sistema parasimpatico dove albergavano vecchie storie di robot onnipotenti e principesse ragazzine la cui missione era distruggere tutto o salvare me, a seconda dell'umore. Presumo che gli sbalzi d'umore fossero i miei e non i loro, ma ero così strettamente legata a tutti loro che il più delle volte era difficile per me distinguere. Dopotutto non avevo neppure sette anni; pensavo ancora che dietro lo schermo del cinema ci fossero delle vere suore a cantare le canzoni di *Tutti insieme appassionatamente*.

Sapevo che, da qualche parte là fuori, c'era un individuo di sesso maschile destinato a proteggermi da tutto quello che mi spaventava. Provavo un profondo desiderio per un uomo che fosse facile da ammirare e di fronte al quale tutti i nemici sarebbero caduti. Un uomo il cui stile trasudasse autostima, noncuranza e una smisurata intelligenza raccolta in secoli di viaggi nel tempo su innumerevoli pianeti.

Mi mancava qualcosa. Non sapevo cosa fosse, ma i

simboli del vuoto, del cordoglio, dell'atrofia, qualunque essi fossero, o siano, si presentavano nella forma di spettacolari fantasie le cui maschere erano innumerevoli e diverse, ma sempre controllate e padrone di sé.

«Perché ci piace questo?» gli chiesi una volta, dopo una punizione particolarmente severa. Mi aveva fustigato per la prima volta. Era stata un'agonia, ma avevo gradito ciò che era venuto dopo.

Giacevamo entrambi a faccia in giù, nudi, sul suo letto nella casa di Londra. C'erano lacrime sul mio viso inquieto, avevo il culo sollevato in aria, cercavo di raffreddare sei piaghe livide. La mano di lui mi accarezzava, dal collo, alla schiena, alle tumescenze che mi aveva procurato.

Era dopo pranzo. Domenica. Fuori si insediava l'inverno. Ci vedevamo da oltre un anno.

«Non tanto *questo* quanto *te*» rispose. «Mi piaci tu. Ti amo, a dire il vero. Penso che tu sia meravigliosa. Non so perché per godere io sia condannato a esercitare il controllo, ma lo faccio, e mi piace l'effetto che ha su di te. C'è qualcosa in te che è vulnerabile e ha bisogno di essere difesa, perciò penso di doverlo fare, di doverti difendere dal lato pericoloso delle tue inclinazioni.

A te piace una certa dose di dolore fisico, ma hai bisogno di qualcuno che vigili sui pericoli che ciò comporta. Questa forma di protezione mi rende forte, primitivo, presumo. Suppongo di proteggere il ricettacolo del mio seme, o qualcosa del genere.

E amo il fatto che io sono vecchio e tu sei giovane. Mi piace quando sei cattiva e confusa e mi chiedi aiuto.

Ci sono state altre donne, certo ce ne sono state, ma in genere fingevano, e non era autentico. Recitavano, perché erano più interessate al mio denaro che a me. Non erano mai molto interessanti. Voglio dire, io venivo, ed era bello e tutto il resto, ma le nostre menti non erano mai unanimi. Quando ero più giovane non mi importava molto, ma ora sì. Quando si invecchia ci si annoia di più. Mi piace venire, come a tutti gli uomini, ma preferisco costruire una dimensione che funziona non solo per la mia mente e il mio corpo, ma per la mente e il corpo dell'altra persona.

Se ciò richiede dei preliminari non convenzionali, così sia. Non ho mai creduto che in camera da letto debbano esserci dei limiti. Devono essere accoglienti e sicure per i due adulti che vi si trovano. E se più donne lo capissero, meno uomini andrebbero con le prostitute. E se più uomini lo capissero, meno donne rinuncerebbero alla propria sessualità dopo il secondo figlio.

Tu sei la mia ragazzaccia ideale. Le nostre libido si armonizzano. Ognuno di noi desidera tanto sesso quanto l'altro. E questo di per sé è insolito, lascia che te lo dica. Ho cinquant'anni. Le donne a una certa età si raffreddano. In particolare si raffreddano quando hanno ottenuto ciò che vogliono in termini di diritti legali, assicurazione medica, tappeti e bambini. Allora il povero maschio può anche andare a riporre l'uccello sullo scaffale accanto alle tutine di spugna appena lavate.»

Ero sottile, squilibrata, selvatica, confusa, e lui mi trovò e mi diede da mangiare, e mi scopò e mise ordine nella mia vita. Prima non sapevo se fossi Martha o Arthur, passavo da una scopata all'altra, bevevo, sniffavo, fumavo. Ci sballavamo tutti quanti, perché lo faceva Lou Reed. Non pensavo che il party fosse andato bene se non era morto qualcuno.

Fui fortunata a trovare Daddy. Mi permise di provare dei sentimenti.

Apparve proprio al momento giusto. Non mi avrebbe mai lasciato prendere droghe, le detestava, e beveva vino rosso, ma solo lui. A me non ne dava mai. Diceva che ero troppo giovane per bere. E non avevo il permesso di fumare. Se c'è una cosa che impari in collegio è fumare. Sono arrivata a pensare che sia l'unica. Non fumavo di fronte a lui per timore dei rimproveri e delle punizioni. Il tutto era complicato, naturalmente, dal fatto che mi piacevano sia i rimproveri sia le punizioni. Non funzionava sempre così, comunque; non era prevedibile. A volte non reagiva alle provocazioni. Quando tutto il mio corpo bramava una rovente bastonatura, lui si limitava a prendermi la sigaretta dalla bocca, mi rivolgeva un'occhiataccia seccata e mi ignorava. La cosa peggiore era quando mi lasciava a casa da sola dopo cena. A volte questo mi faceva piangere. Non era affatto giusto cambiare le regole, visto che il gioco era già abbastanza complicato. Un giorno baci e schiaffi e sesso e amore come ricompensa per la trasgressione; un altro, di fronte alla stessa trasgressione, se ne andava e mi lasciava delusa a casa nel buio.

Oggi, ora che sono matura e fiera, non lo permetterei. Pretenderei una sorta di codice mutuamente concordato. Qualche chiarimento. Ma allora, nel 1982, era lui il Daddy. Da un certo punto di vista, pensavo che lui sapesse cos'era meglio. Comunque non capivo. Non capivo cosa fosse accaduto quando decideva di sospendere il nostro gioco e mi rifiutava l'affetto. Negazione, la chiamerebbero oggi. Non so se lo facesse di proposito o meno.

La mia unica forma di difesa era scomparire. Se lui si negava, io mi ritiravo. La cosa gratificante era che questo lo rendeva furioso. Alla fine ci sarebbe stato un drammatico chiarimento, e bisogno e sesso riparatore e una buona punizione. Il nostro amore veniva sempre riaffermato.

Mi chiamava al telefono. «Dove sei stata? È da più di una settimana che provo a chiamarti.»

«Qua e là.»

Mi ricordo che una volta mi disse: «Jimmy sarà da te con l'auto tra dieci minuti. Ti conviene farti trovare pronta. Indossa il vestito bianco che ti ho regalato, con gli stivali bianchi e il cappotto grigio, e non osare mettere gli slip».

Perciò io mi lavavo via di dosso qualsiasi traccia di locali o paesi in cui ero stata, mi raccoglievo i capelli arruffati, come sapevo che gli piaceva, mi mettevo il rossetto e l'eyeliner, li sbavavo, mi spruzzavo con un anonimo profumo al muschio che avevo trovato sulla Quarta Strada a New York e spesso scivolavo in una sottoveste bianca, molto corta, con gli stivali bianchi, modello Jackie O alle superiori.

In quelle occasioni, quando ero la scellerata che tornava sui propri passi – frangetta nera, rossetto rosso, eyeliner, passaporto nella borsetta, come Jane Fonda in *Una squillo per l'ispettore Klute* – al mio arrivo al suo appartamento, Daddy non mi accoglieva nell'atrio. La moglie di Jimmy, Susan, la governante, mi prendeva il cappotto, mi faceva accomodare nel salotto principale e chiudeva la porta dietro di me. C'era il fuoco nel camino, le fiamme gialle e arancioni si riflettevano sui decanter di cristallo posati sul carrello delle bevande. Le pareti erano coperte di ritratti di uomini con la parrucca e donne in crinolina; c'erano anche spaniel altezzosi, cervi e cesti di frutta. Mi fissavano tutti con severità, dall'alto verso il basso.

Le tende, lunghe e pesanti in oro e cremisi, erano tirate e c'era buio. Daddy ci metteva secoli ad arrivare. Poteva passare anche mezzora! Ero preparata, preparata all'attesa. Amavo aspettare. Potevano succedere molte cose in quelle infernali mezzore, in attesa che l'autorità arrivasse e mi mettesse in riga, cacciasse via i demoni, mi liberasse del dolore interiore, mi procurasse pianto, singhiozzi, paura, disgusto e amore.

Una sera in particolare, in una di quelle notti Jackie O/Jane Fonda, ricordo come i minuti passassero ticchettando, scanditi da un orologio del diciottesimo secolo sulla mensola del caminetto. Ero eccitata. Una leggera stretta in fondo al bacino scivolò in maniera ineluttabile verso la vagina, si mise a pulsare attorno alle labbra e al clitoride. Aspettavo con ansia il suo arrivo nella stanza, poiché prevedevo il dolore e il piacere che sarei stata abbastanza fortunata da ricevere da un uomo che mi comprendeva.

La testa comunque, la mia testa era fuori sincronia. La mia testa voleva fuggire l'inevitabile, ottenere la scopata senza il dolore! Nel pensiero recalcitravo, ma ero immersa nella deliziosa consapevolezza che lui avrebbe vinto. Era più grande, era più forte, possedeva un grande cazzo, e io lo volevo.

Mi trovò in uno stato di cosciente scompiglio, il vestito sollevato sulle cosce, distesa sul sofà con indosso gli stivali e le dita dentro il mio corpo. Era garantito che questo lo avrebbe fatto infuriare, sia perché il sofà era stato appena rifoderato, e non voleva che spargessi i miei umori dappertutto, sia perché non gradiva che giocassi con me stessa senza permesso. Gli piaceva guardare, gli piaceva avere il pieno controllo del mio orgasmo, e di solito lo aveva.

Comparve, come un illusionista del diciottesimo secolo, una figura buia nella penombra.

In quell'occasione non lo vedevo da due settimane. Non mi salutò e non sorrise. «Alzati!»

"Alzati e cammina?" pensai in tono beffardo. Ma non osai dirlo. Daddy non scherzava quando era contrariato. E mi ripeteva sempre che dovevo alzarmi in piedi quando lui entrava nella stanza. Era un segno di rispetto che sentiva di meritare.

Rimasi dov'ero, lo fissavo con un sorriso di sfida e un lampo negli occhi. Il cuore batteva forte ed ero estremamente nervosa, ma non avevo alcuna intenzione di darlo a vedere.

Mi tirò su, strattonandomi con forza per le braccia e, con un solo movimento, mi fece piegare, in modo che le mie mani fossero sul bordo della seduta di una poltrona. Non mi ero ancora resa conto di cosa stesse accadendo quando mi ritrovai il vestito bianco sopra la testa, e il culo, le cosce e la fica erano sue.

Estrasse il cazzo duro e mi prese da dietro. Entrò. Niente parole. Niente preliminari. Una scopata dura e silenziosa. E la priorità fu il suo orgasmo. Nessun rispetto del protocollo in questa scena. Il mio piacere non venne preso in considerazione, anche se, naturalmente, entrambi sapevamo che lo apprezzavo. Mi piaceva che mi scopasse e venisse quando voleva. E in quell'istante seppi che mi ero comportata male e che dovevo redimermi.

Si spinse dentro di me, venne, fremette, uscì. Io ero ancora piegata sulla poltrona, culo all'aria, la fica bagnata, i miei liquidi scivolavano lungo la gamba, ero ammutolita. Mi abbassò il vestito, aprì la cerniera e me lo sfilò. Io uscii dall'abito. Ora ero nuda, salvo che per i soffici stivali di pelle bianca che erano stati fatti per me e mi calzavano come guanti. Avevano delle punte bellissime, tacchi a spillo, e rimasero belli tesi. Le gambe erano scoperte. Il culo bianco, perché non ci vedevamo da due settimane. La fica era pulita, nera, curata, ma non rasata.

Ancora in silenzio mi spinse a quattro zampe sul tappeto bianco davanti al fuoco.

«Aspetta lì e non muoverti. E non ti toccare.»

«Ma ho bisogno di...»

Sospirò. «Non ti muovere. Sei una ragazza cattiva.»

Cominciava a scapparmi la pipì e mi domandai se avrei avuto il coraggio di farla lì, di provare la sensazione del calore lungo le gambe, dell'infantile mancanza di controllo, del pasticcio sul tappeto. Lui si sarebbe infuriato. Decisi che non ne valeva la pena.

Mi pulsava la fica, mi girava la testa e non ero venuta. Ma avvertivo un enorme senso di sicurezza, ero al caldo, ero stata scopata, ero eccitata accanto al suo fuoco. Mi fidavo di lui, il fuoco era confortevole, i tessuti soffici, il profumo dei pot-pourri dolce e sofisticato. Mi trovavo nel luogo giusto.

Mi lasciò lì per quasi quindici minuti, che era il tempo sufficiente prima che il disagio lasciasse spazio alla sofferenza fisica.

Lo sentii rientrare nella stanza, ma non vidi cosa aveva portato finché non lo sollevò davanti al mio viso: un frustino realizzato con rami di salice intrecciati. Mi colpì le natiche con precisione, con forza, con rapidità, sei volte, sei strisce rosse, parallele, gonfie. «Tu non puoi andare, ripeto, non puoi andare via senza dirmi dove vai.»

Rimasi in silenzio.

Mi frustò ancora. «Hai capito?»

«Sì, Daddy.»

«Mi devi telefonare ogni giorno e dirmi dove sei.»

«Sì, Daddy.»

«E sai cosa ti succederà se non lo farai?»

«Sì, Daddy.»

Nuda, la carne delle natiche che pulsava, ancora con indosso gli stivali bianchi, mi chinai su di lui e glielo succhiai nel modo in cui gli piaceva.

Chi comandava adesso? Chi lo sa? Io ero in ginocchio. Lui era nella mia bocca. Vicino ai denti. Io avevo il potere, ma ero la schiava. Spiegati questo e sei a posto.

Si scostò, scivolò fuori da me, così che io mi trovai inginocchiata davanti a lui, la bocca aperta, boccheggiante come un pesce rosso.

«Ora vai a letto» disse.

«Ma ce l'hai duro!»

«Vai a letto.»

«Non sono ancora venuta. Non riuscirò mai a dormire!»

«Vai a letto, Stella. Non posso credere che tu discuta con me dopo essere stata frustata in quel modo. Vuoi che te ne dia ancora?»

«No, grazie.»

Il culo mi bruciava da morire. Avrei avuto le piaghe per una settimana.

Attraversai il corridoio a passo pesante, borbottando,

mentre lui mi seguiva. A un certo punto mi raggiunse e mi diede uno schiaffo secco sulla natica destra, per mostrarmi che era contrariato dal mio atteggiamento.

Mi sedetti sul letto e mi sfilai gli stivali bianchi.

«Non incupirti» disse dolcemente, accarezzandomi i capelli.

Con grazia inusuale, si tolse i vestiti, mi raggiunse, ancora eccitato, e scivolò a fondo dentro di me. Una scopata classica, a letto, alla missionaria. Lentamente, serenamente, come le persone normali. Questa volta venni, a lungo e a voce alta e con grande gratitudine. Io spesso rido quando vengo. Ridere è sempre stato molto sexy per me, molto simile alla liberazione fisica dell'orgasmo, quei minuscoli istanti fugaci di trascendenza e gioia, la fuga benvenuta dal mormorio delle voci e dalla banalità del quotidiano. Io risi. Lui sorrise.

«Sei la mia ragazzina» disse. Mentre mi baciava, venne dentro di me.

Mi aveva introdotto alla realtà di un piacere che fino ad allora era esistito solo in alcuni sogni informi e fantastici.

Io non ho mai creduto al senso di colpa. Come sentimento è egocentrico e inutile, sempre riferito alla persona che lo prova piuttosto che a quella che è stata ferita o che ha bisogno di aiuto. La storia della colpa descrive un concetto spurio inventato dalle istituzioni allo scopo di manipolare le persone ed è altrettanto probabile che provochi condotte amorali mentre le proibisce. La vergogna, una cosa diversa, è più insidiosa, più inerente alla psiche, molto più difficile da sviare perché si insinua in maniera subdola prima che l'individuo si accorga di cosa stia accadendo.

A volte mi domandavo se io fossi una persona bizzarra, oppure se tutti volevano un "Daddy" e io ero stata fortunata. Io mi sentivo fortunata. Avevo la sensazione che i miei desideri si fossero avverati. Quando guardavo le sfilate, vedevo un mucchio di ragazzine che vendevano vestiti da bambine a donne più anziane e più ricche. Donne con dei figli e delle carriere. Per essere più precisi, vendevano pagliaccetti rosa da fatina accompagnati da calze a strisce e scarpe Mary Jane, che fanno apparire le gambe simili a quelle di una bimba. Perché i vestiti da poppanti venivano venduti alle donne adulte? Perché si utilizzavano delle adolescenti per pubblicizzarli? Venti anni dopo è ancora così.

Freud e Jung, sempre divagando, di tanto in tanto hanno cercato di spiegare le donne a beneficio della loro confraternita di barbuti. Hanno creato l'idea del complesso di Elettra, ispirandosi alla psicotica figura mitologica greca. Io lo vivo come un complimento, ma non credo che fosse questa la loro intenzione. Freud era bravo con l'incesto, ma non era molto amico delle sorelle.

I barbuti hanno cercato di spiegare l'inverso del complesso di Edipo; vale a dire, sebbene abbiano dedicato la gran parte del loro tempo alle nevrosi che erano il risultato evidente del rapporto madre/figlio, sono riusciti a riconoscere, en passant, che esistevano anche delle dinamiche tra i padri e le figlie. La loro teoria afferma che la figlia lega la propria libido al padre immaginando di rimanere incinta di lui, per questo si rivolterebbe contro la madre allo scopo di conquistare il padre. Se aggiungiamo la nozione che le relazioni incestuose (attrazione sessuale genetica) devono essere represse, le prime spiegazioni sulla psiche femminile riguardavano il desiderio, il conflitto, la paura della punizione e Daddy.

Jung non pensava che ci fosse qualcosa di sbagliato in tutto ciò; non credeva che l'*animus*/ombra che esigeva una punizione fosse malata, pensava che mettesse in connessione con la psiche e aiutasse sia la realizzazione di sé sia il senso di essere vivi. Io pensavo che avesse ragione. Daddy mi aveva reso viva; non avevo mai conosciuto nulla di simile. Non cercavo il dolore negli incidenti d'auto, tagliandomi con la carta, pugnalandomi le dita dei piedi, scuotendo la testa ballando l'Head Banging. Certo, mi attirava sballarmi; mi piaceva esplorare la trascendenza ed ero interessata a tutto quello che potesse ispirarla, e per questo di tanto in tanto avevo fatto uso di droghe. Lo stordimento da endorfine, provocato dal dolore, è una dimensione confortevole. Tranquillizza e aiuta a sentirsi più vicini alle persone. Oggi lo chiamano il "sub spazio", ma oggi è diventato tutto molto sofisticato.

Attualmente Wikipedia considera sia l'*Age Play* sia il *Daddy's Girl* come dei feticci accettati e definiti, insieme all'adorazione per gli indumenti di pelle o per i piedi, come se si trattasse di debolezze comuni e identificabili, da godersi allo stesso modo dei baci e delle coccole. L'*Age Play*, il gioco dell'età, a quanto pare è un «gioco di ruolo regressivo». Può apparire preoccupante nella mente di alcune persone, ma per altri può essere «un'esperienza salutare e curativa». Per qualcuno è come qualsiasi altra fantasia che dia luogo a una «esplorazione dei sentimenti». Le relazioni *Taken in Hand* (in cui si cede il controllo all'uomo), magnificate nel sito web omonimo, attirano l'attenzione di coloro che senza alcun dubbio si sentono confusi dalle complesse differenze tra la realtà delle spinte biologiche e le aspettative paradossali di una società in continuo mutamento.

Ne è stata fatta di strada da quando io me ne andavo in giro con la gonna corta e in cerca proprio di quello. Il desiderio di recuperare modelli vecchio stile riguardo alle relazioni di potere maschio/femmina dice qualcosa sulla distanza tra ciò che alcuni uomini e alcune donne avvertono come bisogno essenziale e la pressione politica volta a reprimere tali bisogni allo scopo di conformarsi alla grande causa della parità. Ma non sapevo niente di tutto questo quando incontrai Daddy. Con il senno di poi, io indagavo la possibilità di una resa. Volevo lasciarmi andare. Volevo essere vista. Sapevo, a un certo livello, che avevo scelto di non essere vista. Ero consapevole, nei primi anni, dell'uso dell'invisibilità cosciente come meccanismo di sopravvivenza: se non ti vedono, non possono costringerti a fare qualcosa che tu non desideri fare. Più tardi scoprii l'uso della visibilità cosciente – cioè, la maschera della performance – e mi concessi alcune apparizioni nei cabaret di New York. Suonavo un sintetizzatore come i Duran Duran e danzavo, nutrita dalla frenesia che mi davano le sostanze disponibili nell'East Village e gli elogi delle regine scatenate.

Allora tutti quanti indossavano una maschera. Nessuno si faceva vedere. Ma tutti quanti mettevano in pratica le proprie fantasie, perciò si mascheravano per farsi vedere. Io volevo che Daddy vedesse la mia anima sessuale, che la assecondasse e che mi amasse per questo. Volevo una considerazione incondizionata. E volevo essere salvata.

Scusate. Chi non lo vorrebbe?

2

1982-3

Amavo fare shopping con Daddy. Be', certo che l'amavo. Le spedizioni nei negozi di giocattoli erano a un tempo memorabili e deliziose. Una festicciola speciale. In passato gli uomini mi avevano comprato gioielli; non capivano la cosa dei giocattoli. Io non volevo gioielli, li perdevo sempre e comunque. Io volevo amore, come tutti, ed ero condannata dalla saggezza. Sapevo che l'amore era più di una cosuccia di Tiffany. Sapevo che riguardava il tempo e la fiducia. E il sesso. I miei gusti erano precisi. Il mio limite erano i pupazzetti, i "peluche", come penso che si chiamino adesso. Se Daddy mi avesse comprato un orsacchiotto mi avrebbe dato sui nervi, mi sarei arrabbiata. Una persona con la foto degli Slits Sellotaped sul frigorifero non può tenere un orsacchiotto sul letto, a meno che non le siano state asportate le gambe.

Le donne adulte con i peluche in camera da letto dovrebbero essere evitate con attenzione. Quelle che frequentano i mercatini ricolmi di bambole da collezione appartengono a una specie sinistra, sebbene, rispetto alle prime, abbiano un lato oscuro più interessante. Penso che le case delle bambole si trovino a metà strada tra l'atrofia demente delle signore perbene con l'orsacchiotto sul letto e il vuoto delle donne che non hanno conosciuto la madre, per le quali non esiste consolazione.

Daddy mi comprò una costosa casa delle bambole da Christie. Disse che era un investimento. Un investimento su cosa?, mi domandai. Su di me? Sulla mia infanzia? Sul quadro surreale che noi amavamo definire la nostra relazione? «È un pezzo di antiquariato» spiegò. «Aumenterà di valore.»

Jimmy portò la casa delle bambole al piano superiore. C'erano i lampadari, la carta da parati e tutto il resto. I dettagli erano sontuosi. C'erano le tende, la biancheria del letto, le porcellane e cesti colmi di pane. La facciata era in stile giorgiano, costruita sul modello di una casa di Belgravia. Aveva cinque camere da letto, una cucina, un salotto, una nursery, un attico, e pareva offrire uno stile di vita essenzialmente vittoriano.

Tolsi i vestiti a tutta la famiglia e li ammucchiai sul pavimento al centro della stanza da letto al secondo piano.

Avevo il controllo sulle bambole.

A Daddy piaceva controllare me.

La prima volta che Daddy mi portò in un negozio di giocattoli – un posto enorme in periferia – disse: «Un giocattolo solo!».

«Il fatto è che ho bisogno di parecchie cose per la casa delle bambole. Ho bisogno di un lavandino, di qualche armadio e di un attaccapanni. Desidero davvero un attaccapanni. E anche i cappelli, a pensarci bene. E poi c'è il gatto e...»

«Te l'ho detto. Un solo giocattolo. E se discuti con

me ti porto nel parcheggio e ti lascio in macchina. Hai capito?»

Considerai l'ipotesi di sdraiarmi nel mezzo del corridoio con l'insegna ACTION TOYS e rimanere supina finché non mi avesse comprato tutto quello che volevo. Ero alta un metro e sessantacinque, dopotutto, e pesavo cinquanta chili. *Petite*, in un certo senso, ma difficile da spostare in un altro. Comunque, persino io, per quanto immersa in adorabili fantasie, riconoscevo che una donna di ventitré anni che fa i capricci nel mezzo di un negozio di giocattoli può causare più problemi del necessario con la sicurezza.

Il mio era un Daddy gentile, un bravo Daddy, un Daddy crudele, un perfetto amante, un ottimo giocatore di ruolo, ma non sarebbe stato in grado di spiegare tutto ciò al mondo esterno. Il mondo esterno non avrebbe compreso. Aveva l'aspetto di qualsiasi altro distinto uomo d'affari con indosso un costoso cappotto di lana blu scuro. Aveva la fronte ampia, i capelli scuri brizzolati e gli occhi blu. I capelli grigi gli stavano bene; sembrava nato così, sebbene da giovane fosse moro. Diceva che ero stata io a farlo ingrigire, ma non era vero. Incanutiva già quando lo incontrai. I denti erano dritti, bianchi, si scoprivano quando sorrideva. Quando sorrideva, il che non capitava spesso. Quando sorrideva perdeva quindici anni, come succede a molte persone: il sorriso riflette gioie passate. Potevo intuire come doveva essere da giovane. In generale, comunque, era una persona seria, difficile da compiacere. Non che mi dessi troppo da fare per compiacerlo, quantomeno non al principio.

Quando mi aveva portato fuori per andare al negozio di giocattoli, mi ero eccitata pensando a quale punto avrei potuto spingere i nostri limiti in un locale pubblico. Essendo un'esibizionista, io avrei messo in scena il repertorio completo della nostra perversione, credendo, come credevo, nell'uso del corpo per affermare se stessi con azioni dirette. Avevo visto la *artist performer* Karen Finley penetrarsi con una patata dolce e avevo guardato dentro la vagina di Annie Sprinkle durante il suo spettacolo. Avrei tratto un grande piacere nel farmi conciare il culo sotto gli occhi del mondo. Le azioni scioccanti mi si confacevano.

I miei primi anni erano stati del tutto privi di qualsiasi segno di calore umano e di esempi di gentilezza, e questo è il motivo per cui quando il punk rock entrò in voga, duro e rabbioso, sapevo che aveva ragione. Le mie relazioni sentimentali erano insolenti e oltraggiose, entrambe cose molto di moda nel 1977. Rabbiosa e dissociata, ero tutt'uno con l'estate dell'odio. Allora non si pontificava sulle relazioni come adesso; non si incontravano bisbetiche dalle labbra rosse pronte a sputare sentenze su quello che le donne avrebbero dovuto fare o non fare della propria vita. Vivevamo in caduta libera, libere in tutto, e scopavamo come ci piaceva. Se ti andava di essere scaraventata giù dalle scale per vedere che effetto faceva, ti organizzavi per farlo. In realtà non lo consiglio, l'idea è molto più interessante dell'attuazione.

Il sesso punk consisteva nel non fare sesso. John Lydon dei Sexpistols aveva dichiarato che il sesso non aveva senso, il che, probabilmente, era più una riflessione su se stesso che sugli altri, ma allora veniva preso molto sul serio.

A me piaceva mettermi a 90° nei bagni di Hope and Anchor e farmi infilzare da dietro da un ragazzo vestito di pelle con i capelli verde neon. Mi piaceva sentire il suo bacino ossuto sfregare contro le mie chiappe nude, sentire le dita coperte di anelli sulle tette, percepire il suo piacere. Direi che mi è sempre piaciuto prenderlo da dietro. A volte è un vantaggio non vedere i volti, anche se di tanto in tanto questo può creare qualche confusione quando gli uomini poi ti salutano in un club e tu non sai chi cazzo sono.

Non baciavo molto. Il rossetto era troppo importante, sempre porpora scuro, anche se aveva un aspetto fantastico quando si sbavava su tutta la faccia, ma avevo scoperto che i baci erano più adatti agli uomini di cui eri quasi innamorata. Paradossalmente, baciavo le ragazze in maniera molto più indiscriminata, e soprattutto in pubblico, sapevo che era un modo sicuro per attirare l'attenzione.

Mi piaceva sfidare Daddy, portarlo al suo limite, ma potevamo arrivare solo fino a un certo punto. Non volevo renderlo infelice o metterlo in imbarazzo. Di fronte al disturbo della quiete, al disordine, se ne sarebbe andato e mi avrebbe lasciato alle autorità. Sedeva in diversi consigli di amministrazione. C'erano azionisti. Investimenti. Abiti eleganti. Uno scandalo gli avrebbe procurato degli inconvenienti non necessari e lo avrebbe fatto apparire sciocco.

Il mondo esterno, in questo momento, non aveva alcuna importanza. Avevamo il nostro mondo. Giocavamo. Lui era duro, io ero bagnata, ed era una benedizione.

«Ma!» Guardavo fisso davanti a me, persa nel più grande negozio di giocattoli del mondo. Be', è quello che diceva l'insegna. IL PIÙ GRANDE NEGOZIO DI GIOCATTOLI DEL MONDO. Questo voleva dire un regno fantastico di plastica, legno e colori primari. Significava che le bambole possedevano la Ferrari e i pupazzi dei supereroi, avevano equipaggiamento subacqueo e lingue da serpente. C'erano i reparti di *Froggies, Doggies* e quello della *Playmobil*, e ognuno avrebbe potuto essere esplorato per ore. Non mi stancavo mai, anche se Daddy ogni tanto si spazientiva e mi prendeva per mano per trascinarmi verso la cassa.

«Ti ho viziata, Stella» diceva. «Ti ho viziata, e ho creato una ragazza cattiva.»

Le regole erano fatte per essere infrante. Lui le stabiliva, io le infrangevo. Le regole dicevano che io dovevo essere educata nei negozi, non chiedere le cose, non piagnucolare o mettere il broncio.

Il suo reparto preferito era quello dei travestimenti. Era una spaventosa galleria di maschere e trucchi: mostri con le zanne, draghi, zombie da un occhio solo e nazisti sfregiati. Qualunque cosa cercassi, lì la trovavi. I bambini potevano essere scimmie, papere o zucche. I ragazzini potevano essere poliziotti. Gli adolescenti demoni, squartatori notturni o corsari.

"Se mi costringe a vestirmi da Trilli, non gli parlo mai più" pensai. Ma la sposa scheletro non era male, e anche la geisha drago e la cheerleader zombie. Il mio umore migliorò.

«Ci sono le suore» lo informai.

«Tu non farai la suora» disse. «Non è un film dei *Monty Python*. Stai ferma lì.»

Comparve un ragazzo. La faccia non era il suo punto forte. A dire il vero, non avrebbe sfigurato in mezzo a tutte le maschere di Halloween. Indossava un'uniforme di nylon verde.

«Cerco una strega.»

Il commesso non disse, «Non è quello che facciamo tutti?» come avrei fatto io, ma dispiegò un'espressione vasta e asciutta come il Deserto dei Gobi.

«Laggiù» disse, con la voce di Shaggy di *Scooby-Doo.*

Daddy mi carezzò il collo e io, sopraffatta da quel gesto paterno, dal suo odore e dal desiderio di averlo dentro di me, quasi mi misi a piangere.

«Non voglio un maledetto costume da strega, io voglio...»

«Non essere volgare» disse con calma. «Voglio farti indossare una gonna di rete nera, stivali fino alle cosce, calze con la cucitura e pantaloni di PVC. Prendiamo la gonna qui, per gli stivali e i pantaloni devi aspettare. E quando li indosserai io ti fustigherò e ti inculerò.»

Sapevo che per lui mi sarei inginocchiata con la faccia a terra e il culo offerto, che gli avrei permesso di rovesciarmi la gonna di rete sopra la testa e di sferzarmi, di sferzare il PVC fino a far sudare la carne sotto, a farmi bagnare dentro quel perverso tessuto di plastica.

«Non voglio la strega!»

Masticando con forza il chewing-gum, gli feci scoppiare un pallone rosa sulla faccia, lo fissai in segno di sfida per più di mezzo minuto e mi allontanai in direzione opposta, superai scaffali colmi di animali, superai i peluche, superai i possenti Action Men con muscoli da carcerato e sguardi criminali.

Sapevo che gli piaceva la vista del mio fondoschiena che si allontanava. Gli piaceva il mio fondoschiena in generale, e non era l'unico a trovarlo bello. C'era un sacco di vita in quel culo e io lo mettevo in mostra sin da quel giorno in cui avevo tagliato i pantaloncini bianchi a mezza chiappa.

Le scarpe – delle *peep-toes* di velluto nero con un

fiocco sulla punta – erano squadrate e un po' troppo grandi, come quelle di Minnie. Erano l'oggetto più grazioso che avessi mai visto, un misto di pura perversione e adorabile innocenza, cosa molto difficile da ottenere con una scarpa. Daddy le amava. Be', per forza, le aveva comprate lui.

Così me ne andai, a testa alta, via da lui e dal suo costume da strega. Sparii attraverso scaffali pieni di Sirenette, Monopoli e qualcosa che sembrava generato dai Gremlin. Superai un fungo con le ali, un cavaliere che combatteva contro un drago a colpi di karate, finché non mi perdetti in tutti i sensi, accerchiata dai pensieri, circondata dai robot. E poi, oh che gioia, i Dalek! Quasi morii. Erano lì, in tutte le dimensioni e le forme. Le biro dei Dalek, la *lunch box* dei Dalek, robot dei Dalek telecomandati, le magliette dei Dalek, barattoli dei Dalek. Annichilire. Sterminare. Distruggere. Avvertii un'ondata di piacere genuino. I Dalek mi avevano sempre fatta sentire molto, molto felice.

Potrete domandarvi, e sarebbe lecito farlo, come gli spaventosi maniaci di metallo nemici del *Dottor Who* si fossero insinuati nella mia psico-sessualità. Ma c'è un legame tra il terrore, la sicurezza e il sesso, cari miei.

«Signore e signori, comunichiamo che il negozio chiude tra dieci minuti. Siete pregati di avvicinarvi alle casse.»

Non so da quanto tempo fossi lì, ma in qualche modo avevo riempito un carrello di Dalek. Non avevo idea di come ci fossero finiti. Da soli, probabile conoscendoli. "Se non me li lascerà prendere" pensai, "me li pagherò io. Non uscirò dal negozio senza i Dalek, ed è tutto quello che c'è da dire."

Mi aspettava alla cassa. Aveva messo il costume da strega in una borsa. Sapevo che era sul punto di esplodere. Sarebbe stato un piacere premere il pulsante di quel detonatore.

«Dove sei stata? Ti ho già detto di non allontanarti.»

«Allora?»

«Non osare parlarmi in questa maniera!» Era furioso. «Più ti concedo, più tu prendi.»

«È un complimento?»

Mi staccò le mani dall'impugnatura del carrello, lo stringevo così forte che le nocche erano sbiancate. Non abbassò neppure lo sguardo sui Dalek, ce ne saranno stati una ventina, e uno di loro canticchiava il motivetto familiare (e benamato) della minaccia: «Sterminare. Sterminare. Distruggere».

Daddy era un nemico dei Dalek. Diciamocelo, chiunque era nemico dei Dalek. Persino alcuni Dalek finivano per essere nemici dei Dalek. Sorrisi, più perché il pensiero mi aveva divertito che per dileggiarlo. Mi rivolse uno sguardo torvo, i suoi occhi dardeggiarono pericolosamente.

«Ne ho abbastanza di te, Stella.»

«Ma...»

«No.»

«Ma io voglio...»

«No.»

«Se non mi permetterai di prendere un Dalek, mi metterò a strillare. Ed è molto probabile che tu venga arrestato.»

«Se dici ancora una sola parola, ti abbasso le mutande e ti sculaccio qui. Sul sedere nudo, con la passera rasata in mostra, e non mi fermerò finché non implorerai il mio perdono, e forse neppure allora.»

Ci fronteggiavamo in un braccio di ferro erotico, bluffavamo, volevamo vedere chi avrebbe avuto l'audacia di spingersi oltre.

Vinse Daddy.

Lo lasciai vincere.

La gente ci guardava mentre uscivamo e lui mi rimproverava.

I bambini ci fissavano. Non capivano se avessi dieci, dodici o vent'anni.

Io non avrei mai trovato l'auto, ma Daddy mi ci portò, stringendomi la mano fino a farmi male.

I negozi stavano chiudendo, era buio. Il parcheggio era vuoto.

Jimmy era appoggiato allo sportello dal lato del guidatore, fumava una Benson and Hedges. «Gita proficua, signore?»

Daddy non disse nulla, ma si limitò a trascinarmi dietro il cofano della berlina, mi spinse la testa contro l'auto, così che avevo la faccia giù e il culo sollevato verso di lui.

Jimmy schiacciò il mozzicone con la suola delle scarpe nere immacolate, si sedette al volante e si mise a guardare fuori dal finestrino.

Daddy mi abbassò i pantaloncini lungo le cosce, oltre le ginocchia, fino alle caviglie e poi al cemento del parcheggio. Niente mutandine. Culo nudo, calze lunghe, tacchi alti. Mi colpì la natica destra con tutta la forza della mano. Nessun preliminare, nessun'altra minaccia, nessuna leggera sculacciata erotica, ci andò giù subito pesante. E poi di nuovo, sulla sinistra. Ricevetti ancora cinque o sei colpi, strillando.

«Ahi! Ahi! Ahi! Ahi! Ahi!»

Non ebbi il tempo di realizzare la situazione, di rendermi conto che Jimmy ci guardava, di capire che correvamo il rischio di essere visti.

Il dolore mi infiammava il culo e si portava via tutti i pensieri.

«Cosa hai da dire?»

«Mi dispiace.»

Si abbassò e raccolse i pantaloncini. Io mi massaggiai le natiche arrossate.

«Mi hai fatto davvero male.»

«Bene.»

Mi abbracciò e mi aiutò a salire sul sedile posteriore della berlina, dove gli appoggiai la testa in grembo con il sedere nudo per aria. Ero calda e rossa e bagnata e in lacrime, e questo glielo fece diventare molto duro.

Mi carezzò i capelli e mi baciò.

«Ora succhiamelo.»

Io gli estrassi con delicatezza il cazzo dai pantaloni e infilai in bocca la cappella, poi lo baciai e lo leccai teneramente. Mi spinse l'erezione fino in gola, e io la presi tutta, ma non la volevo lì, la volevo dentro di me.

Allontanai il viso dalle sue gambe e dissi: «Voglio che mi scopi».

«Dovrai aspettare.»

Poi mi porse il Dalek più grande della serie. Radiocomandato, trenta centimetri, luci lampeggianti, movimenti della testa autonomi, braccia e armi movibili, effetti sonori esplosivi, meccanismo vocale e occhi retro-illuminati. «Adesso fai contento il tuo Daddy.»

Tornammo a Cheyne Walk per il tè. Susan ci servì su un vassoio d'argento, seduti accanto al fuoco. Io ricevetti cioccolata calda e torta. Daddy un Earl Grey.

«Farai bene a mangiarla tutta» disse, «perché poi andrai a letto.»

«Sono le sei e mezza!»

«Andrai a letto.»

«Non sono stanca.»

«Non discutere con me, per favore.» Daddy suonò il campanello.

Susan comparve alla porta. Aveva quasi sessant'anni, e un volto gentile ma impassibile. Si era lasciata venire i capelli grigi e, a differenza di Daddy, a lei non stavano affatto bene. Indossava sempre dei cardigan, gonne plissettate e scarpe comode con i collant color carne. L'unica concessione alla creatività erano le spille, che a volte avevano dei buffi elementi decorativi o ricordavano i luoghi dove lei e Jimmy erano stati in vacanza. La Grecia, per esempio, o la Spagna.

Una volta avevo cercato con Daddy di fare congetture sulla biancheria intima di Susan, ma lui mi aveva zittita.

«Riempi la vasca per favore, Susan.»

«Sì, signore.» Si chiuse la porta dietro le spalle.

«Non voglio andare lassù da sola, ci devono essere i fantasmi.»

«Non ci sarà nessun fantasma» disse. «Vai e infilati nella vasca, io arrivo tra un minuto.»

«Promesso?»

«Sì.»

Mi allontanai rumorosamente lungo il corridoio, lasciai i vestiti in un mucchio sul pavimento e scivolai nella vasca, che era abbastanza lunga perché potessi distendermi completamente, e abbastanza profonda per galleggiare tra le bolle bianche di schiuma. C'era una finestra di fronte, e due lavabi, uno con lo spazzolino da denti e il pennello per la barba di Daddy, lui usava il sapone, alla vecchia maniera. L'unica luce proveniva da una lampada sopra lo specchio del lavandino.

Mi rilassai, nonostante il sedere mi pulsasse e tutte le terminazioni nervose del bacino fossero risvegliate dall'urgenza.

Daddy comparve dopo circa cinque minuti, si arrotolò le maniche della camicia, si inginocchiò sul pavimento e mi strofinò il viso con un panno bagnato. Poi mi lavò il resto del corpo con una soffice spugna, rivolgendo particolare attenzione ai punti che riteneva fossero di sua proprietà.

«Alzati.»

Mi insaponò tra le gambe e io quasi venni.

«Daddy!»

Sorrise. «Ora fuori.»

Mi asciugò con cura con un telo da bagno bianco.

Catturai il mio riflesso nello specchio. Sul viso non avevo trucco ed era lievemente arrossato. Avevo i capelli bagnati, raccolti in una coda. La fica era rasata.

Daddy aveva disteso una camicia da notte sull'enorme letto blu. Era bianca con lo scollo squadrato, lunghe maniche e *broderie anglaise*. Era soffice, morbida, e l'orlo strusciava sul pavimento. La indossai e mi sedetti sul bordo del letto mentre lui mi spazzolava i capelli.

«Mi fai male!»

«No, non è vero. Ora voltati e fammi vedere il sedere.»

Feci quello che mi aveva detto e mi sdraiai a pancia in giù sul letto. Lui mi sollevò la camicia da notte per guardare i segni che le sue mani mi avevano lasciato nel parcheggio.

«Rimani lì.»

Frugò in uno dei cassetti e tornò con un vasetto. Mi spalmò delicatamente il contenuto sulle tumefazioni, che cominciavano a divenire violacee. La pomata era così fredda, fredda e confortevole. Sentivo che cominciavo a gocciolare per lui.

«Infilati nel letto.» Scostò le lenzuola. «Dentro.»

Le lenzuola profumavano di pulito e di amido. Aveva sempre tre cuscini, costosi e soffici. Mi accoccolai, piccola e giovane. Mi infilai il pollice in bocca. Stavo regredendo. Sempre più indietro, in un recesso di cui conoscevo l'esistenza, ma del quale non avevo alcun ricordo. Provai un senso di serenità che non avevo mai sperimentato prima, neppure con i migliori oppiacei. Dimenticai chi ero. C'era solo lui. Mi sentivo sul punto di piangere. Volevo solo essere sua.

Mi lesse una fiaba femminista. Parlava di una ragazza che viveva in un bosco e doveva salvare un principe da un serpente, che era avvinghiato attorno al collo dell'uomo. Non so dove l'aveva presa. Forse in America.

«E la ragazza dei boschi disse addio al principe, e che liberazione! Visse per sempre felice e contenta, da sola, nella propria casa che si era comprata con i suoi soldi.»

«Leggimene un'altra.»

«No. Luci spente. Letto.»

«Ma non sono venuta. Non riuscirò mai a dormire. È davvero prestissimo. Non andare!»

«Buonanotte, tesoro.» Mi baciò sulle labbra e spense le luci.

Non potevo crederci. Ero pazza di desiderio. «Lascia la luce accesa.»

La luce del corridoio si insinuò da una fessura della

porta. Sentii i suoi passi leggeri che tornavano verso il salottino, ero sconsolata.

Eccitata, abbandonata e sconvolta. Forse avrei dovuto darmi piacere. Ma no, io non volevo me stessa. Volevo lui e non riuscivo a capire perché lui non volesse me.

Rimasi così per un quarto d'ora, ma non potevo sopportarlo. Uscii dal letto e camminai a piedi nudi fino al salottino. Lui ascoltava il *Rigoletto* e leggeva un libro alla luce della lampada. Il fuoco divampava e Daddy aveva ancora le maniche della camicia arrotolate. Rimasi in piedi sull'uscio per un minuto, a guardare il suo capo chinato sul libro, sotto la luce, finché lui non si sentì osservato e alzò lo sguardo.

«Cosa ci fai lì? Ti ho detto di andare a letto.»

«Non riesco a dormire.»

«Non piagnucolare.»

Lo raggiunsi, mi misi in piedi davanti a lui, sollevai la camicia da notte e mi carezzai la fica. «Voglio fare sesso, e lo voglio adesso.»

Andai al tappeto davanti al fuoco, mi sdraiai, sollevai la camicia da notte e divaricai le gambe in modo che potesse vedere le mie labbra desiderose, il clitoride turgido e l'interno delle cosce.

Sospirò. Proprio così. Sospirò.

Poi lentamente, oh, quanto lentamente, prese il segnalibro di pelle e lo sistemò con cura tra le pagine. È l'unica persona che abbia mai incontrato che possieda davvero un segnalibro di pelle con le nappe e le iscrizioni dorate. Mi raggiunse e si fermò in piedi sopra di me, mentre io giacevo sul pavimento e mi offrivo, stordita dal desiderio. Appariva alto, severo, e io non sapevo cosa avrebbe fatto. Non sembrava affatto soddisfatto.

«Sei davvero un animaletto» disse. «Ho avuto cuccioli con maggior autocontrollo. Dovrei frustarti il fondoschiena e rispedirti diritta a letto.»

Io mi infilai le dita tra le gambe, le estrassi e me le leccai. «Ti prego, lascia almeno che giochi da sola.»

«Mettiti a quattro zampe, Stella. Voglio vedere il tuo culo perfetto.»

Il mio culo perfetto era ancora arrossato per la punizione che aveva ricevuto in precedenza. Due sconci circoli cremisi lo puntavano, incorniciati dalle balze bianche della camicia da notte.

Si inginocchiò dietro di me e mi spinse la faccia contro il tappeto, il tessuto di lana mi fece il solletico al naso. Lo sentii abbassarsi la zip dei pantaloni e, senza parlare, infilarsi duro dentro di me.

Io sono sempre stata una *queen size*, è il modo in cui sono fatta, immagino. Ho una fica profonda e scura e un profondo vuoto scuro nell'anima, ed entrambi hanno bisogno di essere riempiti. A dire il vero, quando incontrai i fortunati attributi di Daddy per la prima volta pensai che ce l'avesse troppo grande, anche se non avevo mai pensato che potesse esistere una cosa del genere. Lui entrò dentro di me e io dovetti concentrarmi per rilassarmi e accoglierlo, mentre con la maggior parte dei cazzi dovevo concentrarmi per stringere i muscoli pelvici per offrire ai miei partner la possibilità di sperimentare la "passera stretta" di cui tutti quanti parlano tanto. Ma Daddy ce l'aveva grande, e siccome ce l'aveva grande, era facile per me prostrarmi e mostrare il mio apprezzamento. Era facile per me amare sinceramente il suo cazzo, perché lo amavo davvero.

Si spinse dentro di me e io urlai forte.

Con una mano sulla mia nuca, mi premeva più giù,

mentre lui premeva ancora, a fondo, duro, servendosi dell'altra mano per manipolarmi come faceva lui, per giocare con me.

Venni a lungo, rumorosamente, gli ero grata.

«Sei una ragazzaccia cattiva» disse, e mi baciò dietro il collo, si liberò dentro di me mentre i miei muscoli interni ancora pulsavano.

Si sdraiò sopra di me accanto al fuoco. Odorava di uomo, e io sentivo il suo peso e non avrei mai voluto lasciare quella posizione, quella strana posizione in cui un uomo ti schiaccia. Un uomo che sapeva esattamente ciò che volevo. Il mio dolce, adorabile uomo che poteva farmi male senza farmi del male.

Poi mi prese per mano e mi accompagnò lungo il corridoio, mi rimise a letto, mi rimboccò le coperte. «Ora rimani qui.»

È credenza comune credere che l'interesse per le punizioni derivi dalla tradizione inglese dei collegi, ma questo, temo, è un confortevole cliché. Il collegio che ho frequentato io tra gli otto e i diciotto anni era pieno di pony e di figlie di diplomatici. Erano tutte anoressiche e facevano uso di droga, ma non c'erano suore malvagie in vista. La disciplina veniva mantenuta con il divieto di uscire, e l'obbligo di pulire e correre.

Non pensai al sesso fino all'ultimo anno, quando mettemmo in scena *Romeo e Giulietta* e per qualche ragione io interpretavo il ruolo di quest'ultima. C'era uno spilungone di Eton che faceva la parte di Romeo, uno che non poteva interessarmi di meno. Alle prove, comunque, un certo Martin Finn si lanciò nel ruolo del severo padre Capuleti, e quando scoprì che la figlia era innamorata dell'uomo sbagliato, mi diede uno schiaffo che di sicuro andava molto oltre qualsiasi suggerimento dell'autore.

«Ehi» dissi, con la guancia che doleva, «dovresti minacciarmi, non colpirmi.»

«Oh» disse. «Non importa, pensavo di tirarti anche i capelli.»

Mi innamorai di lui all'istante e ci godemmo lunghi periodi di baci senza tregua nel laboratorio di arte, di cui io avevo la chiave, poiché ero la favorita del professore di educazione artistica, che era l'unica persona a cui avessi mai prestato ascolto.

Martin Finn voleva diventare attore professionista, perciò non gli dava fastidio farsi istruire per esibire il proprio talento. Non era Martin che mi interessava, ma il severo Capuleti, grazie Shakespeare. A quel punto non avevo ancora scoperto Petruccio, il personaggio de *La Bisbetica domata*. In seguito quell'eroe perfetto mi spinse a prendere il massimo dei voti e a sostenere gli esami richiesti per studiare letteratura inglese.

Perciò io dirigevo Martin Finn, e lui restava nel personaggio. Per fortuna non possedeva il minimo senso dell'umorismo e nessuna autoconsapevolezza e prendeva il dramma molto seriamente. Perciò scopai per la prima volta, arrendendomi all'energia di questo padre diciassettenne che mi teneva ferma sul pavimento, seduto a cavalcioni sopra di me e mi bloccava le braccia nella polvere. Il vestito estivo salì sopra i fianchi. Le cosce nude si sporcarono mentre la pelle umida si contorceva sul gesso e sulla fuliggine della fornace. Capuleti si sporcò le mani e me le passò sulla faccia, poi mi baciò con durezza e senza alcuna pretesa di affetto. Si divertiva.

La meccanica era cazzo e fica. Non sapeva come eccitarmi con le mani, ma a me non importava. Le parole e la forza mi avevano fatto bagnare. Mi sarei masturbata se non mi avesse scopata, ma mi scopò, abbastanza lentamente per un principiante, il che dimostrava un buon istinto. A un certo punto mi chiese se era tutto ok, il ragazzo di Eton per un momento aveva preso il sopravvento su Capuleti.

Io ero ok. Avevo la schiena sul pavimento, con le gambe sopra le sue spalle e il suo grande cazzo immerso dentro di me. Spingeva, sempre più a fondo, e intanto mi teneva le braccia ferme. Io mi dibattevo. Lui mi teneva. Iniziò a spingere seguendo il proprio bisogno, si portò più vicino all'orgasmo, dimenticandosi di me, tenendomi giù, e venne.

Sorpreso dalla forza del suo orgasmo, mi afferrò la faccia e mi baciò, con durezza, ma questa volta con la gratitudine che così spesso deriva dalla passione.

Martin Finn era malleabile e riconoscente. Alzandosi e guardandomi dall'alto, fissava con genuino rispetto la Giulietta sedicenne, mezza nuda, scompigliata, con le gambe sporche aperte sul pavimento senza mutande, le mani tra le cosce.

«Sei venuta?» mi domandò

«No. Ma ora lo faccio.»

Capuleti si inginocchiò per vedere da vicino la mano malandrina di Giulietta che scompariva nel luogo per il quale Shakespeare si era servito di così tante gradevoli metafore.

«Tre dita?» chiese.

«Tre dita» convenni.

«Non pensavo che le ragazze potessero farlo.»

«Possiamo metterne più di uno. Possiamo metterne quanti ne vogliamo.»

«Stai scherzando.»

«No, avrei potuto metterne otto se avessi voluto.»
«È stata la prima volta?»
«Sì.»
«Pensavo che ci sarebbe stato sangue.»
«Ti dispiace?»
«Certo che no. Che domanda bizzarra.»
«Scusa. Non so molto dei ragazzi.»

Ci scrivemmo per un po'. Io usavo una penna Tempo e delle cartoline con le stampe di Alfonse Mucha. Avere un boyfriend era di moda, ma poi ci perdemmo di vista. Qualche anno più tardi lo riconobbi in un dramma in costume alla televisione. Non interpretava l'eroe gotico che avrei pronosticato dopo l'ottima performance sul pavimento del laboratorio di arte. Recitava la parte di uno di quei tipi docili e fraterni che rappresentano quella che per l'autore è la corretta direzione morale.

Il pomeriggio con Capuleti rappresentò il momento in cui la strada svoltò e io iniziai a viaggiare lungo un sentiero costellato di cartelli che indicavano la direzione della passione perversa e singolari passatempo.

Daddy mi comprava sempre vestiti e mi prometteva che mi avrebbe portata a Parigi alle sfilate, e che mi avrebbe preso tutto quello che desideravo. Il che era una cosa da vagheggiare. Parigi e Daddy. Mi sarei seduta in prima fila insieme a tutte le altre prostitute.

Avevo alcuni abiti costosi che mi aveva comprato, ma che non mi piacevano granché perché lui si infuriava quando ci rovesciavo sopra qualcosa. Non capivo che senso avesse spendere mille sterline per un vestito con cui non potevi divertirti, visto che per rovinarlo bastava un po' di erba, di fango o di piacere. Comunque, di solito era colpa sua. Mi portava i vestiti, gli piacevo e mi chiedeva di fare sesso senza toglierli.

Io tenevo i vestiti a casa di Daddy, in un baule da scuola con scritto sopra il mio nome. A volte mi diceva di andare a cambiarmi. Gli piaceva guardarmi mezza nuda, accovacciata sul baule, intenta a gettarmi i vestiti dietro le spalle, in cerca del capo richiesto. Poi mi faceva ripiegare ogni cosa e rimettere a posto.

Non vi sorprenderà apprendere che aveva dei gusti molto precisi su ciò che avrei dovuto indossare. Gli piacevano le calze, sia fino alle ginocchia sia alle caviglie. Gli piaceva l'abbinamento calze alle ginocchia, sedere nudo e un boschetto ripulito, o spoglio. Apprezzava molto un vestito da tè corto vintage con il colletto castigato, e le scarpe basse Mary Jane con il cinturino. Non gli piacevano i cappelli, ma apprezzava le giacche che sembrassero blazer. Preferiva che portassi i capelli pettinati alla maniera delle bambine piccole: fiocchi, code di cavallo, trecce. Adorava una gonna da tennis, le gambe nude, scarpe da ginnastica, niente mutande. Gli piacevano le culottes grigie e i reggiseni neri. Amava una maglietta aderente bianca di Aertex.

L'inverno era gonne a scacchi corte e calze lunghe, o scamiciati con il colletto rotondo, coda di cavallo e stivali di varie lunghezze e altezze. Le notti di solito erano baby-doll. Non gradiva nulla che impedisse l'accesso facile. Perciò le gonne aderenti erano escluse, con mio sommo disappunto. Tutti i pantaloni erano proibiti, a eccezione di quelli da cavallerizza che lo facevano impazzire. Gli piacevano le mutandine semplici di cotone, bianche o nere, e niente altro. Odiava la roba dozzinale di Ann Summers, le mutandine scosciate da porno-star e tutto quello che era di nylon. Se doveva essere leggero, doveva essere seta. Amava le cose semplici e schiette, con una sfumatura di St. Trinian. Temo che un bastone da hockey fosse la sua idea di paradiso. La mia era il tè, il bagno e il letto. Con qualche buona scopata ogni tanto.

Gli piaceva un vestito intero molto corto, che copriva a malapena il culo e quando mi piegavo lasciava scoperte le mutande. Gradiva quella visuale alla Benny Hill e mi aveva regalato delle mutande vecchio stile con le balze per godersela ancora meglio.

Possedevo una schiera di stivali alti e di scarpe, con cui era difficile camminare. A Daddy piaceva vedermi incedere a fatica, con un vestito corto e niente mutande, così quando, per esempio, tentavo di chinarmi per entrare o uscire dalla sua auto, poteva vedermi le gambe e le natiche rosse. A volte, se mi contorcevo davvero, arrivava a vedermi il buco del culo, cosa che gradiva, e altrettanto io, che gli offrivo la visuale completa e sapevo che gliel'avrei dato in ogni momento lo avesse desiderato, così come lui lo avrebbe preso ogni volta che ne avesse avuto voglia. Ero costantemente aperta. Aperta a tutte le ore. Non lo avevo mai provato prima.

3

1983

Daddy era particolarmente severo riguardo al cibo. Io non avevo mai avuto un'idea convenzionale sul mangiare. La nonna si nutriva solo di cracker e Marmite e beveva quello che lei chiamava «gin e qualcosa», anche se io non scoprii mai cosa fosse il "qualcosa". Beveva in particolare di domenica, e poi andava in chiesa, si sedeva sul primo banco e urlava richieste di inni mentre il vicario pronunciava il sermone.

I cani le abbaiavano sempre contro, e io penso che questo dica parecchio di una persona. Anche io a volte sentivo il desiderio di abbaiarle contro. Una volta abbaiai a Daddy e lo morsicai, e lui mi fece stare in piedi con la faccia contro il muro per un'ora. Poi arrivò dietro di me, mi mise le mani dentro e scoprii quanto lo volevo. Mi penetrò. Venni, ma volevo ancora morderlo.

Mia nonna beveva piuttosto che mangiare, ma aveva una strana relazione con le banane. Penso che fosse perché, da bambina, avendo vissuto la guerra, ne aveva mangiata una sola. Era ossessionata dalle banane. C'erano sempre banane a casa sua, grandi caschi di banane, impilati in assurde piramidi su vassoi d'argento, disseminati per la casa, nel corridoio per esempio, o sulla credenza di noce della sala da pranzo.

Questi frutti imbarazzanti venivano acquistati in enorme quantità dalla servitù, che attingeva a un arcano capitale la cui origine io non compresi mai. Avevo la vaga consapevolezza che non usassero i loro soldi per comprare i generi alimentari per la casa, ma non c'era alcuna palese transazione che spiegasse da dove arrivasse il denaro.

In seguito scoprii che la nonna teneva montagne di contanti in giro per casa, così come faceva con le bottiglie di gin, ma in luoghi diversi. La signora Erin, la governante, sovrintendeva alle pulizie, perciò sapeva dove si trovasse ogni cosa. La signora Erin era una persona onesta e dalla spiccata moralità. Si limitava a prelevare i soldi di cui aveva bisogno, che poi contabilizzava su un quadernetto immacolato.

Rimasi stupita quando andai in collegio e scoprii l'esistenza di un rituale in cui le persone si sedevano a tavola e destinavano del tempo a porzioni di cibo su dei piatti sistemati di fronte a loro. Più tardi, in quanto orfana critica, venni adottata dai genitori dei vari amici, e consumai pasti nelle loro case, sebbene io fossi sempre più concentrata sul rispetto delle buone maniere che sul cibo. Non sapevo mai cosa stessi mangiando, ma sapevo di che forchetta servirmi e che non si doveva trattenere il coltello del burro per il proprio uso esclusivo. Quando vivevo a New York mangiavo se avevo fame, il che non accadeva molto spesso, per via della cocaina.

Perciò eccomi, stordita dallo stile di vita caotico di Manhattan, un sacco di divertimento ma nessun autocontrollo, e Daddy mi imponeva di sedere composta e mangiare quello che avevo nel piatto senza discussioni.

Se ero lenta, mi imboccava, ed era capace di farlo anche in un ristorante affollato. Mi piaceva, in particolar modo, quando gli stavo seduta un grembo. La gente ci guardava di traverso. Io ero vestita come una geisha adolescente, grazie al viaggio d'affari a Tokyo di Daddy e al suo giro di shopping a Shinjuku. A Daddy piaceva vedermi in un abito da cocktail bianco aderente, sollevato sulle cosce.

Era perfetto, in braccio a lui sentivo il cotone soffice della camicia, l'assoluta protezione, mi carezzava i capelli e il collo con le grandi mani pulite, lo annusavo. Era meglio della droga, e non è poco. Io mi sedevo sulle sue ginocchia e lui mi faceva mangiare la frutta, oppure bocconi di pollo, o patate, o qualcosa di più raffinato. Mi sussurrava all'orecchio con dolcezza per incoraggiarmi. «Mangia questo, ti stai comportando davvero bene.»

Ritrovavo una parte di me che avevo perduto.

Daddy diceva che tutte le donne che aveva incontrato avevano problemi con il cibo, mentre lui no. «Non c'è da meravigliarsi che non abbiano un vero potere» diceva. «Impiegano tutto il tempo e le energie a vergognarsi di loro stesse.»

Ora io sono vecchia e in zona menopausa, e devo far fronte a un assortimento di cancri incipienti e problemi alle ossa, e ho un'opinione precisa riguardo alla politica dell'immagine corporea, le fonti di servilismo e la grottesca semiotica imposta alle donne dagli arroganti spacconi del marketing. Adesso che sono vecchia e saggia, mi vergogno delle donne che in maniera sventata perpetrano la propria oggettificazione senza metterla in discussione, pensando che, come corollario, potranno soddisfare i propri desideri dozzinali, ignare del fatto che stanno costruendo un mondo nel quale né loro né nessuna di coloro che seguiranno il loro esempio avrà mai un'influenza significativa.

Daddy pensava che io avessi un problema con il mio peso, ma in verità si sbagliava. Quando ci pensavo, il che non accadeva spesso, ero convinta di essere perfetta. Non volevo essere più alta, più bassa, più grassa o più magra. Ero androgina in un certo senso, ma con abbastanza tette e culo da poterci giocare se io (o chiunque altro) ne avevo voglia.

Non era il peso. Avevo la pancia piatta e caviglie sottili, e ce le ho ancora. Era il modo in cui si è tenuti a mangiare. Non riuscivo a stare seduta nello stesso posto troppo a lungo. Mi piaceva restare in movimento. Tendevo ad alzarmi da tavola all'incirca dopo cinque minuti, e questo faceva infuriare Daddy. A lui piaceva rimanere seduto per ore, a fare quello che io non riuscivo a fare, mangiare lentamente e chiacchierare.

«Stella. Siediti! Devi finire quello che hai nel piatto. Se succederà ancora, ti legherò alla sedia. Dipende da te. E non osare mettere il broncio.»

Queste scene mi spingevano a contrariarlo, e spesso mi buttavo per terra, urlavo forte e piangevo, come fossi un'indemoniata in un B-movie. Chissà cosa si muoveva nel profondo, ma il corpo tremava ed era scosso dagli spasimi della catarsi. Avevo sempre raggiunto l'orgasmo facile, sia vaginale sia profondo, e sospetto che il mio corpo si accendesse così facilmente per liberarmi dallo stress. Le scene all'ora dei pasti scioglievano qualche indescrivibile tormento da tempo dimenticato e riassestavano il dispositivo sensuale.

Cominciai ad avere appetito e ad assaggiare le cose. Ma solo quando ero con lui. Solo se mi sentivo al sicuro, affamata, e c'era qualcosa di delizioso con un piacevole profumo. Capivo il senso delle sue regole, sebbene lui non considerasse le conseguenze, ma solo gli effetti immediati. Gli piaceva il fatto che mi eccitassero, gli piaceva il rossetto sbavato e il viso imbronciato, le braccia conserte e l'atteggiamento recalcitrante. Gli piaceva il potere. Gli piaceva vedermi strillare, strillare, strillare. Quanti uomini ti permettono di farlo senza spaventarsi, senza andarsene e ti baciano e ti scopano?

Non era un vecchio pazzo maniaco? Sento che ve lo state chiedendo. Io penso di no. Io penso che mi amasse abbastanza da volermi insegnare un'altra forma di sensualità, la sensualità del cibo. Di sicuro lui ne godeva. Ne parlava piuttosto spesso. Sapeva molte cose in proposito, avendo viaggiato in giro per il mondo. Mi disse che in Cina aveva mangiato un porcellino d'India. Con il riso. «Laggiù mangiano qualsiasi cosa si muova» disse.

Per quanto vedevo io, lui mangiava qualsiasi cosa si muovesse dalle nostre parti. E sparava a qualunque cosa si muovesse dopo l'apertura della stagione di caccia. Era capace di ordinare la pasta con la salsa di fichi. A me piacevano veramente solo cinque cose, e tre di queste erano dolci. Una volta mi trovò delle caramelle nella borsa e mi sculacciò. Poi le gettò fuori dalla finestra. Io risi perché immaginai un pacchetto di Opal Fruits che atterrava sulla testa di qualcuno, o per terra davanti a un bambino deliziato. Avevo il sedere rosso, ma ridevo comunque. Quel giorno non mi aveva fatto tanto male. Solo quanto bastava per eccitarmi.

«Tu non puoi fumare e non puoi mangiare pasticci, abituati all'idea.»

Mi aggrappai a lui e lo baciai, sentivo l'erezione premere, ero disperata, lo implorai di scoparmi.

«Devi fare quello che ti dico, signorina.»

In momenti come quello, mi sfilava le mutandine bagnate e mi accarezzava finché io non cominciavo a tremare. Poi, con le mani ferme sulle labbra, mi apriva così che il clitoride era tanto esposto che potevo sentire l'aria. Vestito, si spingeva dentro di me, duro, a fondo, e l'orgasmo giungeva per entrambi. Io ero grata, completamente innamorata di lui mentre le nostre bocche si scioglievano una nell'altra e io annusavo il suo odore. L'odore per me doveva sempre essere quello giusto. Era così e basta. E l'odore di Daddy era giusto.

Mi faceva mangiare cose come le uova strapazzate e il salmone affumicato. Al ristorante ordinava per me. Mi guardava torvo se discutevo. Era un tale sollievo.

Mangiare è una cosa brutta. Avevo sempre pensato che non dovesse essere fatto in pubblico. Credevo invece che il sesso si potesse fare, quindi suppongo che le mie idee fossero schizoidi. Pensavo che i popcorn dovessero essere banditi dai cinema, ma che dovesse essere permesso pomiciare.

Una volta chiesi a Daddy se voleva un pompino mentre guardavamo *La donna che visse due volte* al cinema. Mi disse di stare zitta e di guardare il film. Me la presi per la sua reazione. Dopotutto, io cercavo solo di creare un'intimità. Sembra che sia un dovere creare l'intimità nelle relazioni amorose. Non ho mai compreso che senso avesse, visto che qualunque forma di tensione erotica si fonda quasi interamente sull'esatto contrario. È molto difficile avere voglia di scopare qualcuno di familiare, come è evidente dalle statistiche sui divorzi.

Daddy, sempre attento alla questione del cibo, notò che non sapevo cucinare quando mi vide piazzare una scatoletta di zuppa aperta direttamente sulla piastra elettrica.

«Va bene» disse. «Basta così. Devi imparare a cucinare.»

«Non essere assurdo» dissi.

Le vere donne non cucinano.

Ma feci ciò che mi era stato detto, sulla base del fatto che non avevo nient'altro da fare. Gli costò 950 sterline.

Non dissi niente. Erano soldi suoi, e affari suoi.

Il "college" culinario a South Kensington era un posto stupido, gestito da una donna sui quarantotto anni con i capelli tinti di biondo, scarpe Gucci e sguardo indagatore. Era gentile e dura. Era anche socialmente ambiziosa, era fin troppo informata sulle famiglie aristocratiche inglesi e aveva compiuto la gran parte della propria "educazione" a Heathfield. Si faceva chiamare signorina Charlotte. Vestiva sempre di blu marino, e a volte i capelli erano discosti dal volto con una fascia di velluto. Il colletto della camicia era sempre plissettato. Portava un rossetto rosa traslucido che non le stava per niente bene. Viveva a Earl's Court e fingeva di conoscere più cose su Lady D di quante se ne lasciasse sfuggire.

Non so se ne sapesse qualcosa di cucina, perché io non ne sapevo niente, ma Daddy guardò il suo "programma dei corsi", esaminò le ricette e si dichiarò soddisfatto. «Non vedo l'ora di assaggiare il sorbetto di frutta» disse.

«'Fanculo il sorbetto» borbottai.

«Cosa hai detto?»

«Niente.»

Le scolare, se questo è il termine giusto, erano delle ragazzine costosamente maleducate che avevano appena finito la scuola e si preparavano per farsi sposare.

«Fai la caccia alla volpe?»

«Dove vai a sciare?»
«Dove vive tuo padre?»
«Conosci i McNair-Campbell?»
«Hai debuttato?»

C'era un giovane gay dichiarato di nome Peter. Era stato mandato lì dal suo vecchio amante che, un po' come Daddy, pensava che il suo compagno viziato (ma bellissimo) dovesse possedere qualche utile abilità. Il primo giorno Peter si presentò con un delizioso grembiulino, ebbe una crisi isterica quando sentì nominare Fanny Cradock, e ci prendemmo subito bene.

Lavoravamo insieme alla postazione tre, e devo ammettere che Peter mi batteva. Era più nervoso di me, più ansioso di piacere e più spaventato di perdere i soldi del suo amante. Voleva veramente imparare a preparare dei perfetti bigné e pane al formaggio intrecciato. Io veramente non lo volevo. Avevo scritto «vaffanculo» con il pennarello sul cappello bianco. Avevo visto gli Stranglers al Hammersmith Palais.

La signorina Charlotte reagì rivolgendomi una repellente espressione di finto affetto, quindi disse: «Ho paura che sarò costretta a telefonare a suo padre, signorina Black. Penso che sia ingiusto sprecare il suo denaro, e che sia scorretto che la classe venga disturbata, non trova? Loro pagano per queste lezioni, e cercano di imparare, anche se lei non lo desidera».

La signorina Charlotte pensava che Daddy fosse il mio vero padre e lui aveva confermato questa errata convinzione facendomi indossare abiti che mi conferivano l'aspetto di una sedicenne. Non mi truccavo per andare a scuola e mi facevo i codini. Daddy mi aveva comprato degli scamiciati dall'aspetto innocente, ma corti, che ero costretta a indossare con bluse a stampa liberty, calze alle ginocchia e scarpe basse con la fibbia. La frangetta nera era lunga come quella di un pony Shetland.

La signorina Charlotte mi fece venire a prendere. Lui la dovette pregare di lasciarmi restare. Daddy, per divertirsi, le disse che avevo avuto un passato turbolento, che mia madre era morta e che lui aveva dovuto crescermi da solo. Sapeva di aver fatto un pessimo lavoro, ma era un uomo solo. Se solo avesse avuto accanto una brava insegnante come la signorina Charlotte.

Io per poco vomitai, ma la signorina Charlotte se la bevve. Senza dubbio era affascinata da Daddy, e capivo bene perché, e dovette pensare in qualche recesso delle sue sinapsi perbeniste che se mi avesse permesso di restare avrebbe potuto ottenere un invito fuori in qualche bistrot sulla Fulham Road.

Io pensavo che mi avrebbe punito davanti a lei. Sulle ginocchia, gonna su, didietro scoperto, mano pesante, lì su due piedi, nell'ufficio della maestra di cucina. Sarebbe stato uno spasso, lei era così rigida, repressa. Sarebbe stato interessante scorgere lo sgomento sul suo volto. Ma sia lui sia io sapevamo che non valeva la pena di correre il rischio. Avevamo imparato che le perversioni debbono essere messe in atto con sottigliezza e che le regole della complicità sono spesso oscure, fino a divenire invisibili.

Mi portò alla casa di Cheyne Walk senza dire una parola. Io guardavo fuori dal finestrino e masticavo la gomma. Non mi interessava continuare o meno le lezioni della signorina Charlotte. Non mi importava imparare a cucinare. Mi domandavo come sarebbe stato il nuovo album dei Cure.

Nell'atrio mi fece voltare, abbassò la cerniera dello scamiciato blu e disse: «Togliti i vestiti».

Mi immusonii, ma feci come mi aveva detto e mi spogliai per lui, lasciai che il vestito mi cadesse di dosso e finisse sul pavimento, mi sbottonai la camicia, mostrandogli i capezzoli eretti. Mi lasciai indosso le mutandine e la calze bianche.

«Tutto» disse, infilando un dito nell'elastico delle mutande e tirandole giù fino ai piedi con un gesto rapido e deciso.

Uscii dalla piccola macchia di stoffa bianca e mi sfilai le calze.

«Ripiega tutto, posa i vestiti sulla sedia laggiù e mettiti in piedi davanti allo specchio.»

Feci ciò che mi diceva e ammirai la mia immagine nuda nello specchio con la cornice dorata. Vedevo il viso, i seni, il ventre, le cosce, ma non i piedi. La luce proiettava un bagliore dorato, mi faceva apparire più arrotondata di quanto non fossi in realtà, e lo specchio mi restituiva l'immagine di una ragazza/donna che non era ancora pronta a indossare la maschera della seconda. Non penso che potessi essere definita bella secondo i canoni convenzionali della simmetria e della struttura ossea, ma avevo presenza, pelle favolosa, tette rotonde della terza con piccoli capezzoli marroni, occhi blu scuro con ciglia nere, che lampeggiavano rabbia e scherno, l'una con altrettanta facilità dell'altro. Avevo la bocca piuttosto piena, rossa e carnosa, facile tanto ai musi quanto al sorriso. Mi piacque ciò che vidi.

«Rimani lì finché non ti darò il permesso di muoverti.»

Perciò rimasi nell'ingresso davanti allo specchio con un portaombrelli e il ritratto di un uomo con un fucile e un fagiano morto. Lui appese il cappotto e scomparve nella casa per quelle che a me parvero ore. Mi sentivo le cosce umide della mia eccitazione, mentre mi guardavo nuda nello specchio e mi domandavo cosa mi sarebbe successo.

Dopo divenni furiosa, volevo sesso. Presto non seppi più cosa desiderassi di più, una fetta di pane tostato con la marmellata o il suo cazzo.

Non ricevetti né l'uno né l'altro. Ritornò nell'ingresso, mi diede una sculacciata, molto forte, sulla natica destra, che mi lasciò sulla carne bianca il segno rosso delle dita. Poi mi disse di andare a letto, e io obbedii, senza sesso, cibo o nient'altro. Mi misi a leggere il mio libro finché non venne a spegnere la luce.

Passai la successiva mezzora sdraiata sul copriletto, nuda, le gambe aperte, le dita ben dentro di me, portandomi all'orgasmo e gemendo per lui mentre lo facevo. Chiamai e chiamai, e venni e venni, a strappi, bramosa. Ma lui non comparve. Era una punizione nuova. Abbandono. Rinuncia. Controllo. Sapeva ciò che desideravo, e non me l'avrebbe dato. Era una tortura. Tortura senza dolore fisico, senza il pungente supplizio con cui giocavamo di solito. Tutto il mio corpo lo desiderava.

Ero ancora bagnata alla mattina quando, mezza addormentata, mi sentii pervadere da uno strisciante senso di insoddisfazione. Tale sentimento cessò, lentamente ma con assoluta certezza, quando la sua erezione mi penetrò appieno e con forza da dietro. Mi scopò adagio e a lungo, in silenzio, spingendosi dentro di me ancora e ancora, mentre io mi allargavo, mi allargavo e lo ricevevo, gemendo per il piacere puro di una semplice penetrazione, del semplice sesso. Ancora acciambellato dietro di me, venne, soffiando la propria liberazione tra i miei capelli, sul collo e, quando mi unii al suo piacere, mi resi conto che avrei fatto qualsiasi cosa per lui. Realizzai anche non lo avrei mai voluto lasciare. E questo, per qualche ragione che non sono in grado di scandagliare, mi fece venir voglia di piangere.

Mi disse di alzarmi e di preparare la colazione.

«E Susan?»

«Stamattina ha un appuntamento. Prepara la colazione, per favore, e non discutere.»

Avrei anche potuto discutere, ma in quel momento ero completamente innamorata di lui e desideravo compiacerlo. E poi morivo di fame, e rischiavo di non ricevere niente da mangiare se non avessi provveduto personalmente. Perciò mi arrabattai in cucina e preparai una omelette, con merluzzo, salsa Mornay e formaggio gruviera.

Daddy disse che era deliziosa, mi baciò e mi accompagnò a scuola. Lungo la strada, mi disse di comportarmi bene perché il corso era molto costoso e avrebbe dovuto pagare anche se non lo avessi più frequentato. Daddy, come molte persone ricche, detestava sperperare il denaro. Era capace di spendere tremilacinquecento sterline per un *armoire* e poi cavillare perché nelle spese di spedizione c'era una sterlina e mezzo in più. Obbedii, a dispetto dell'istinto a prendere a calci sugli stinchi la signorina Charlotte.

Per il resto del corso, mi venne sempre a prendere alla fine delle lezioni alle tre e mezza, per impedirmi di andare al wine bar con Peter, immagino. Mi faceva domande su quello che avevo imparato. Dovevo mostrargli il mio libro delle ricette.

«Questo cos'è?»

«È quello che accadrà all'Ariete questo mese.»

«Oh, per l'amor di Dio.»

Daddy era della Vergine, e pertanto non credeva all'astrologia, il che non gli impediva di essere un tipico Vergine.

Un giovedì pomeriggio disse: «Bene. Domani è il giorno libero di Susan. Voglio che mi prepari il merluzzo al forno con la salsa di rafano e la salsa tartara. Gradirei anche la mousse di cioccolato. Susan può comprare l'occorrente oggi».

Arrossii appena. Non ero affatto sicura di me, visto che avevo ridacchiato tutto il tempo durante le lezioni. Avrei dovuto preparare la cena e servirla. Non avevo mai preparato una cena in vita mia, né tanto meno servito qualcosa. La signorina Charlotte ci aveva ammorbato con numerosi sermoni sul tema della presentazione delle portate e dell'impellenza di un piatto caldo, ma non le avevo mai prestato attenzione.

Secondo Daddy la tenuta adeguata per questa particolare serata era un piccolo grembiule bianco con le balze arricciate e un vestito blu con le maniche corte, che aveva comprato da Denny's. Era un abito autentico, di quelli che indossavano le cameriere negli hotel, e lui trovò delle mutandine blu chiaro da portare sotto. Erano un po' piccole, mi facevano sembrare il sedere più tondo e si insinuavano nei vari orifizi, cosa nel contempo seccante e stimolante.

Avevo le gambe lisce, nude e abbronzate. Scelsi delle scarpe aperte, bianche e appuntite, come le imprecazioni che borbottavo a mezza voce mentre trafficavo in cucina, accendendo tutti i fornelli insieme perché non sapevo quale interruttore fosse collegato a quale parte della cucina. Non lo sapevo e non mi interessava. Perciò avviai tutti i fuochi, e da uno mi accesi la sigaretta. Poi mi versai una coppa di champagne e mi aggirai per la stanza guardando dentro le credenze. C'erano frullini e apriscatole, e gli altri arnesi vari che mi erano diventati familiari al corso e che avevano a che fare con impastare e stendere.

Per qualche ragione, nota solo a lui, Daddy preferì non supervisionare il mio lavoro, il che fu un grave errore. Ci provai. Davvero. Districai taglieri, coltelli e scodelle. Tirai fuori ogni cosa. Ci furono clangore, tonfi, e occhiate al mio libro delle ricette, su cui avevo scarabocchiato inutili indirizzi di negozi di scarpe e suggerimenti destinati a Peter per le sue attività dopo scuola.

Aprii la pagina del piatto di merluzzo che mi era stato ordinato e scoprii il disegno a biro di uno squalo con una gamba tra le fauci. C'erano alcune indicazioni criptiche, numerate da uno a cinque, che parevano avere qualcosa a che vedere con la pietanza in questione, ma erano difficili da decifrare.

Mi sedetti, armeggiai con il walkman Sony, fumai un'altra sigaretta e sperai che gli ingredienti in qualche modo si combinassero spontaneamente, componessero le diverse pietanze e decidessero da soli il condimento. Una patata rotolò giù dal tavolo e cadde sul pavimento. Era evidente che stava cercando di fuggire, perciò avevo qualche speranza. Forse anche i sacchetti di farina si sarebbero messi in azione.

Non avevo idea di quello che facevo. Lui aveva pagato 950 sterline e io non sapevo se dovessi o meno usare la parte grigia del merluzzo, né quanto burro adoperare per la salsa, visto che non avevo appuntato nessuna dose. Mi concessi una seconda coppa di champagne.

Il terzo bicchiere mi portò dalla spensieratezza a uno stato di melensa morbosità, cominciai a rimpiangere di non avere una madre. Di solito la cosa non mi preoccupava, visto che in generale le madri sono sopravvalutate e non capivo che senso avessero, ma all'improvviso pensai che se avessi avuto una madre ci sarebbe stato qualcuno a cui telefonare e chiedere cosa fare con la gelatina. “Leggi un libro di cucina” sarebbe stato un suggerimento di buon senso, ma il buon senso non è mai stato il mio punto forte. Io tendevo a fare quello che mi sembrava giusto, e poi speravo che le cose andassero per il meglio. All’improvviso fui presa da un senso di autocommiserazione e solitudine. Ero piccola e indifesa in una enorme cucina piena di strumenti le cui forme non avevano niente a che vedere con qualsiasi uso identificabile. Ero tornata nel laboratorio di arte a scuola, a mescolare gli elementi con il mero scopo di constatare la consistenza delle cose e valutarne il potenziale come materiale a cui dare forma. Il risultato, nel caso della cosiddetta mousse al cioccolato, fu una sostanza gelatinoide che non aveva alcun costrutto e appariva di scarsa utilità sia per l’uomo sia per qualunque mammifero. Se era, comunque, del colore giusto.

Sapevo dal principio che Daddy sarebbe stato impossibile.

La salsa di pomodoro era troppo salata. Le verdure stracotte. Il pane troppo umido.

Entravo e uscivo dalla sala da pranzo dove lui era seduto come un oligarca a un’estremità del lungo tavolo, in attesa di essere servito su delle stoviglie di inestimabile valore che aveva impiegato ore ad acquistare nelle sale di esposizione di un lussuoso negozio.

«Sono rivoltanti» disse in tono brusco, mentre gli posavo davanti un piatto di piselli flosci.

Per la prima volta da quando lo conoscevo il suo viso mi apparve brutto. Aveva le labbra strette, un’espressione crudele, i denti vecchi e grigi. Lo odiavo. Odiavo lui, odiavo gli uomini, e odiavo le donne che cucinavano per loro e si occupavano di loro e contribuivano a creare una storia culturale innaturale in cui l’uomo si aspettava di essere servito.

Quando arrivò il momento della mousse di cioccolato ero furiosa. La mousse mi era venuta meglio, poiché è relativamente semplice da fare ed è piena di cioccolato, al quale io sono piuttosto interessata. Ne mangiai un'enorme quantità in cucina prima di scodellarla in un piatto di cristallo e decorarla con la panna montata servendomi di una sacca confezionata a tale scopo, come suggerito dalla signorina Charlotte.

Ero paonazza, snervata ed euforica per l'overdose da zuccheri. Avevo macchie di cibo dappertutto, e cioccolato sul viso, e mi ero rotta un'unghia, perciò il dito mi era diventato rosso e pulsava. Cucinare non era la mia specialità, e non lo sarebbe mai stata. Non mi sarebbe mai interessato, e non c'era niente altro da dire in proposito. C'erano luoghi dove andare e persone da incontrare. E io ne avevo abbastanza di lui che annusava la roba, torceva la bocca e si mostrava contrariato.

«Stella» lo sentii chiamare. «Dov'è il dolce?»

Io entrai, andai da lui e gli rovesciai la mousse sulla testa.

Il piatto rimase per un istante sulla sua testa, poi scivolò e si infranse sul parquet. Il cioccolato colò dappertutto. Sul viso, dentro il colletto, sulla camicia, sulla tovaglia. Un fiume marrone si impadronì della scena. So che i clown che si tirano le torte in faccia non fanno ridere, ma devo dire che quella fu, e rimane, una delle esperienze più gratificanti della mia vita.

Non conservò la dignità, e nessuno sarebbe riuscito a farlo. Aveva il volto ricoperto di mousse, e foglie di menta tra i capelli. Mi domandai se non fosse il caso di andare a nascondermi. Pensai che avrebbe potuto cacciarmi dalla sua vita, molti uomini lo avrebbero fatto, dopotutto. Forse avevo oltrepassato una qualche linea invisibile, una linea che tracciava il confine del suo orgoglio di maschio. Non penso che se lo aspettasse, e dovette essere una sorta di shock. Non aveva mai veramente perso le staffe con me, era una persona calma, severa e silenziosa, tutt'altro che volubile e passionale. Era piuttosto gentile quando si arrivava al dunque. Ma questo! Lo avevo ricoperto di mousse e di ignominia. Se lo avesse fatto lui a me, sarei stata furibonda.

Rimasi immobile, paralizzata.

Si alzò, camminò verso di me, con il cioccolato che gocciolava sul pavimento. Pensai che stesse per colpirmi sul viso e mi allontanai. Mi afferrò e mi baciò, così che anche io fui coperta di cioccolato.

Quindi mi prese il polso e mi portò in bagno.

Mi spinse nella doccia, ancora con addosso la mia "uniforme".

Me la strappò e la gettò oltre la tendina, sul pavimento del bagno. Non lo avevo mai visto così duro. Mi inginocchiai, l'acqua mi tamburellava sulla testa e sul viso, e glielo succhiai. Volevo prendermi cura di lui, scusarmi, davvero, perché avevo perso il controllo. Succhiai e leccai, finché non fu lui a perdersi, e venne, il liquido bianco mi schizzò sui seni e fu lavato via dall'acqua insieme agli ultimi resti della mousse di cioccolato.

Uscii dalla doccia profumata di bagnoschiuma. Ero calda e pulita, e non mi aspettavo niente.

«Non te lo meriti» disse, mentre mi spingeva le gambe dietro le spalle e mi scopava sul pavimento del bagno.

Alla fine del 1983 trascorsi il Natale con Daddy. Il Natale, naturalmente, è una cosa orribile, e io non ho mai conosciuto nessuno più vecchio di dodici anni che non lo detesti. È una festività per cui nessuno ha votato, rappresenta una divinità in cui pochi credono e offre un'accurata cassa di risonanza per la miseria umana. Per quanto ci provassi, non riuscivo a dimenticare i Natali passati, quando il rituale era gestito da mia nonna, e per me sarebbe stato meglio trovarmi in un orfanotrofio. Il Natale mi aveva insegnato che non avevo alcuna speranza. Mi aveva anche insegnato a non sperperare le mie energie per desiderare beni materiali, visto che i "regali" erano oggetti avvolti nella carta igienica, che la nonna aveva trovato nel gabinetto del piano di sotto alle tre di notte della vigilia. C'era un albero, perché era la signora Erin che se ne occupava, ma le sole decorazioni erano realizzate da me con il cartoncino, la colla e i brillantini.

Mia nonna passava dalle volgari descrizioni di Babbo Natale, che lei dipingeva come un incrocio tra un pedofilo e un truffatore, ai proclami isterici in cui dichiarava che tutto ciò fosse adorabile. Divenni meno infelice allorché smisi di aspettarmi qualsiasi cosa.

Quando ero molto piccola e confusa, le domandavo se mio padre sarebbe venuto a prendermi per le vacanze, al che lei rispondeva: «È morto, cara, perciò non può». Non sapevo davvero cosa volesse dire "morto" per cui non capivo la ragione di quello che io consideravo un rifiuto particolare nei miei confronti.

Da bambini si prende tutto sul personale. Io non smisi di farlo prima dei trent'anni. Tutto riguardava me. Daddy mi diceva che al mondo non c'ero solo io, e, sebbene comprendessi il ragionamento, non gli credetti mai fino in fondo. È solo che non mi sembrava sincero. Da una parte mi diceva di crescere, ma dall'altra mi trattava come una bambina e voleva che rimanessi così perché la cosa eccitava tutti e due e perché conosceva la nostra situazione e sapeva che più sarebbe riuscito a conservarla com'era, meno probabile sarebbe stato che io me ne andassi. Credo che avesse il terrore di essere lasciato. Sua moglie lo aveva abbandonato morendo. Non riuscii mai a scoprire nulla della madre, ma sospetto che avesse molto da farsi perdonare, come la maggior parte delle madri. Come ha detto Quentin Tarantino, non le chiamano madri per niente.

Daddy aveva ragione a essere teso, poiché io ero incline alle partenze inattese. Credevo nella fuga e non ci avevo mai visto nulla di male. Andavo e basta. Una volta lasciai un boyfriend a metà di un pranzo. Lui stava per conficcare la forchetta in un tortino di mele, e io partii per Delhi. Avevo lasciato la casa della nonna quando avevo sedici anni e, furiosa, non mi ero più messa in contatto con lei, solo perché nei momenti di massima pubblicità le compagnie telefoniche lo suggerivano.

Non ero arrabbiata per il Natale in sé, comunque, ma piuttosto perché la nonna continuava a ubriacarsi e a insultarmi. C'è un limite al numero di volte in cui si può essere chiamate "sgualdrina" prima di decidere su quale treno salire. Non si trattò di una partenza in piena regola, ma di un viaggio dal quale non tornai mai più. Avevo preso la trousse, ma avevo lasciato gran parte delle scarpe. A volte mi domandavo se se ne fosse accorta. Le scrissi per dirle che sarei andata all'università e che l'amministrazione mi avrebbe dato i soldi per affittare un appartamento. Avrei ricevuto un'educazione, ed era improbabile che sarei morta di fame. Poi andai a New York e trascorsi molti Natali felici in Connecticut con dei tizi fuori di testa che ridevano e facevano uso di droghe.

I genitori di Daddy erano morti. Erano scomparsi in

età matura, e lui non pareva traumatizzato dall'evento al di là di una discreta e assennata tristezza che non pareva sopraffarlo. Sapeva come divertirsi e rideva davvero come Babbo Natale: ho, ho, ho. C'era un albero che aveva richiesto l'intervento di tre persone per essere issato nell'ingresso della casa di Cheyne Walk. Susan era rimasta in piedi su uno sgabello per un giorno intero con in mano palline dorate e decorazioni. Le luci scintillavano a intermittenza con un autentico effetto grotta, mentre io mi preoccupavo di cosa comprare al mio amante e, incapace di prendere una decisione valida, acquistavo cinquanta oggetti di varia inadeguatezza. Lui aprì tutti i pacchetti e per ciascuno dimostrò sorpresa e felicità, e io lo amai per questo, pur realizzando che neanche morto si sarebbe fatto vedere in giro con una cravatta con stampati sopra degli uccellini.

La mia sorpresa e la mia felicità erano sincere, in particolare quando una calza bitorzoluta venne posata sul mio letto. Gioielli. Scarpe. Vestiti. Libri. Giocattoli. Biancheria intima. Tutto era perfetto. Lui rideva e io ero piena di allegria, amore e Vov.

Era la prima volta che festeggiavo il Natale secondo le convenzioni della middle-class. Ero consapevole, per le informazioni che avevo ricevuto, che il 25 dicembre porta con sé alcune prevedibili soddisfazioni per molte persone, e ora io ero una di quelle. Mi sentivo al sicuro. Cominciai a rilassarmi e, come risultato, divenni un po' isterica per l'eccitazione. Sentivo che tutti i miei sogni si avveravano. Avrei voluto rimanere innamorata di questa meravigliosa figura paterna fino al giorno in cui sarei morta. Ero destinata a rimanere al sicuro e amata. Daddy sorvegliava il mio futuro e tutto ciò che in esso si trovava, e ogni cosa sarebbe andata per il meglio. Era il Vov, immagino, o forse lo sherry, o l'ingenuità della giovinezza, o un vero e proprio caso di transfert. L'esperienza non mi aveva insegnato niente sulla realtà del futuro. Daddy era Dio Padre, onnisciente e onnipotente, e io iniziai a fondermi in lui, mi lasciavo andare come ci si può lasciar cadere da un aeroplano con il paracadute.

«Ti amo, Daddy.»

«Ti amo anch'io, tesoro.»

Non pensai mai per un solo minuto che ci fosse qualcosa di sbagliato nella nostra relazione, figuriamoci di insano. Lui era il genitore che stabiliva il codice morale e sulle cui decisioni si poteva fare affidamento, in quanto corrette e sensate. Non pensavo che per gli altri fosse molto diverso. Pensavo che ci fossero un mucchio di Daddy là fuori, ma io ero stata abbastanza fortunata da trovarne uno fantastico. Fu soltanto più tardi che scoprii che non ce ne sono poi tanti di Daddy, ma un sacco di figli che cercano la mamma. I papà sono merce rara, soprattutto quelli che non solo possiedono una forza innata, generosità e consapevolezza di sé, ma sono capaci di giocare con il dolore e con la finzione senza abusarne.

Passammo il giorno di Santo Stefano a letto. Lui mi legò le mani dietro la schiena con le decorazioni dell'albero, un tocco di stagione. Poi mi fece mangiare un fagottino ripieno di frutta secca, che odiavo, e io lo sputai sul pavimento. Per questo dovetti restare in piedi con il culo rosso contro la parete della camera guardaroba. Rosso Natale. Mi fece stare in piedi per mezzora, anche se per tutto il tempo rimase dietro di me e mi accarezzò le tette, il collo e le chiappe pulsanti, fino quasi a farmi impazzire.

Passammo il Capodanno separati. Disse che il dovere lo chiamava, doveva stare un po' con gli adulti. Penso che si riferisse ai genitori della sua defunta moglie, ma non desideravo conoscere i particolari. Per un po' rimasi di malumore nel mio appartamento, poi telefonai a un gruppo di drag queen e dissi loro che avevo stappato lo champagne. Ballammo molto e discutemmo se fosse giusto o no indossare la pelliccia. Il primo dell'anno ci mettemmo tutte il cappello e andammo a bere il tè al Ritz.

Dissi loro di Daddy, non ci trovarono nulla di perverso, ma le drag queen non considerano mai niente perverso. Sono sofisticate, ed eravamo negli anni Ottanta. Tutti quanti si risvegliavano alle delizie della perversione. Mi dissero che c'erano dei club dove potevi farti frustare, o peggio. Ce n'era uno con un bagno dove potevi farti fare la pipì addosso dagli sconosciuti.

La pipì addosso? Non ci avevo mai pensato. Mi pareva una buona idea. La suggerii a Daddy, che si domandò chi dei due dovesse fare la pipì, ma la apprezzò perché era una cosa sporca. Alla fine fu lui a sdraiarsi nudo in una vasca vuota e io gli feci la pipì sulla faccia. Glielo fece diventare duro. Era la prima volta che assumevo la posizione dominante. Mi piaceva perché era nuovo, una novità indecente, e lo eccitava, il che era carino. Ma nel genere pipì, la cosa che preferivo era quando mi faceva andare al gabinetto e mi guardava.

4

1984

Non mi piacevano gli amici di Daddy. Erano pallosi.

Mi comportavo sempre male, perché mi annoiavano, erano paternalisti e senza dubbio ridevano alle spalle di Daddy perché era stato tanto stupido da abboccare all'amo di una bambolina svitata. Davano per scontato che io volessi i suoi soldi.

«Allora, Stella, cosa fai nella vita?» mi domandavano.

«Mi faccio lui» rispondevo, indicando il padrone di casa.

Ogni tanto le persone mi interrogavano sulla carriera che avevo intrapreso dopo aver lasciato Oxford. La risposta, spaventosa, era che ero andata a Manhattan, avevo preso droghe, mi ero scopata Keith Haring e avevo frequentato i club dell'East Village. Avevo un po' di soldi. Lavoricchiavo. Stavo, cosa che nell'East Village si poteva fare, grazie al mito di Edie e delle star di Warhol. Potevi essere semplicemente favolosa. Nessuno ti chiedeva cosa facessi, finché eri fotografata, ti facevi guardare e indossavi la parrucca. Io venivo fotografata, mi facevo guardare e indossavo la parrucca. Non sentivo la necessità di fare niente più di questo. Guardavo e venivo guardata. Vivevo in un palazzo senza ascensore tra la Terza e la B. Non ero molto ambiziosa. Vivevo. Ho conosciuto Philip Glass. Salutavo Quentin Crisp per la strada. Andavo ai concerti dei Talking Heads e degli Psycho Killer. Mi bastava.

Daddy spesso mi rimproverava perché ero maleducata. «Sei stata molto brusca con Sylvia.»

«Era sbronza.»

«Non ribattere.»

«È a favore della pena di morte, lo sapevi?»

«Shh!»

«Bene.»

«Mangia il tuo toast.»

«Non mi piace. È una vecchia fascistoide?»

«Non essere ridicola. E poi ha quarantatré anni!»

«È quello che dice lei.»

«È una interior designer molto stimata.»

«Già. Scommetto che i paralumi sono di pelle umana.»

«Se non la finisci subito, fili a letto. Sono stato chiaro?»

Non era una minaccia che mi spaventava particolarmente, se si considera che io volevo sempre andare a letto, o da sola a leggere o con lui per godermi il suo magnifico uccello.

A volte mi diceva che mi avrebbe punito di fronte ai suoi ospiti, ma sapevo che non l'avrebbe fatto. Quel genere di scene si trovavano solo nei romanzi erotici, o in qualche servizio fotografico di moda in bianco e nero. Io pregustavo la fantasia di Daddy che mi dominava di fronte ai suoi assurdi conoscenti, ma la realtà sarebbe stata un inferno. Il livello dei loro gusti sessuali li spingeva al massimo a ridacchiare sotto i baffi al ricordo dei rispettivi addii al celibato da Annabel's. Io dissi a un uomo di nome Andrew che Daddy, se facevo la monella, mi metteva a faccia in giù sulle ginocchia, e lui cominciò a sudare profusamente. Pensai che stesse per avere un infarto. Dopo di allora continuò a invitarmi fuori a pranzo, ma Daddy non mi lasciò andare. La maggior parte dei suoi amici era rubizza, grassa e fascista. Bevevano molto per dimenticare i debiti e il fatto che le loro mogli trofeo si appannavano con l'età e non c'era niente che loro o chiunque altro potessero fare per recuperare la raffinata patinatura che li aveva tanto attirati quel dì al ballo di caccia. La chirurgia estetica dei primi anni Ottanta non era quella di oggi. La gente tendeva a rimanere legata alle proprie tette e a frequentare i propri coetanei.

Gli europei erano viscidi e opportunisti. Daddy condivideva con loro alcune vicende passate, settimane di sci a Kloster o crociere in yacht a Porto Ercole. Avevano un'aria altezzosa, irritante come il loro dopobarba. Erano più informati e decadenti, ma erano sessisti, e per tanto non sexy.

Costituivano uno sbiadito mélange, e io non desideravo intrattenermi con loro a nessun livello. Non penso che Daddy fosse molto selettivo nella scelta della compagnia, sottoscritta esclusa. Era inspiegabilmente passivo nelle scelte sociali, e di conseguenza molti relitti galleggiavano attorno alla sua spiaggia e vi si impigliavano, disordinati e informi, senza apportare alcuna miglioria alla naturale bellezza dell'ambiente.

Quando lo stuzzicavo, diceva che erano i suoi "vecchi amici" come se questa fosse una spiegazione sufficiente. Io, avendo appena passato la ventina, non avevo vecchi amici in nessun senso della parola, e non ne apprezzavo, come invece faccio ora, il valore. Avevo sempre amici nuovi, che non combinavano niente e ogni tanto morivano negli incidenti stradali. Preferivo che fossero divertenti piuttosto che leali, compassionevoli o indulgenti nei confronti dei miei difetti. Ora la penso diversamente, certo, ma allora non potevo capire perché Daddy rimanesse fedele a quei vecchi barbosi. A volte mi domandavo se fosse anche lui un vecchio barboso, ma mi dicevo che era inglese e aveva frequentato la scuola pubblica, e la cosa finiva lì. Sembrava che si fosse perso la gran parte degli anni Sessanta. Penso che allora fosse troppo impegnato a fare soldi. Gli piacevano i musical, mi fece andare a vedere *Oklahoma*, dove nel foyer incontrai Peter con il suo boyfriend, e lì ci mettemmo a gridare.

«È la frociata più pacchiana che abbia mai visto» disse Peter. «Ed è tutto dire.»

«Daddy canticchia le canzoni sotto la doccia» confessai.

«Sei sicura che sia etero?»

Non mi toccava andare ai weekend di pesca o di caccia di Daddy, il che era un sollievo, perché dovevano essere una cosa terribile. Mi presentavo di rado alle *soirée*, ai cocktail e alle cene, in realtà non ero invitata, a meno che non ci fosse qualche altro "giovane" a cui fosse necessario offrire compagnia. Per fortuna questi "giovani" di rado erano terribili come i genitori, sebbene tendessero a essere confusi e sottomessi. La ricchezza ereditaria può avere questo effetto sulle persone. Non avevano ancora cominciato ad affrontare la questione del denaro, dell'amore e del controllo. Vivevano con aspettative che non erano le loro. Non avevano idea di chi fossero e di cosa volessero. Io gli piacevo perché ero spensierata, temeraria e non assomigliavo a niente di ciò che avevano visto. Le ragazze erano costrette in sobri abiti da cocktail, io indossavo abiti sexy traforati, stivali con i tacchi a spillo e perle, il tutto combinato con i twin-set di Viv Westwood. Portavo gli orecchini di Edie, che avevo comprato in un negozio di abiti usati, e ciglia finte, difficili da reperire, ma valevano la fatica. Ero stata influenzata da *The Rocky Horror Show*, dalle ragazze delle gang di *Grease* e dal punk. Le altre ragazze, be', erano state influenzate dalle loro madri e da Diana Spencer.

Io le convincevo a sgattaiolare fuori insieme a me e facevo del mio meglio per corromperle. Di solito avevo successo, soprattutto con quelle che erano state educate in convento. Accettavano sempre una canna. Andavamo nella stanza della televisione e fumavamo gli spinelli. Daddy aveva comprato un videoregistratore e, se eravamo fortunate, venivamo lasciate in pace a bere champagne e ad ammirare la bellezza magnetica di Al Pacino.

A cena mi toccava rimanere per tutta la sera seduta, schiacciata tra due uomini di mezza età che non sapevano cosa dirmi ed erano troppo inglesi per parlare di relazioni sentimentali, in particolare di quella che sospettavano io avessi con il loro amico e della quale, senza alcun dubbio, erano gelosi. Le mogli erano sempre lì presenti, perciò non potevano porre nessuna delle domande le cui risposte erano ansiosi di sentire. Mi domandavano spesso quanti anni avessi, poi commentavano che pensavano fossi più giovane, con delusione o con sollievo, a seconda della natura della loro vita intima. Le mogli erano più subdole, e mi avrebbero posto domande mirate in salotto dopo cena, se dopo cena io fossi andata in salotto. Non commettevo mai quell'errore. Scivolavo nella stanza della televisione – un piccolo studio al piano superiore – con gli altri "giovani", alcuni dei quali si preoccupavano sul serio di dire ai genitori dove stavano andando.

A volte durante queste serate Daddy si dimenticava di me, e io spesso le trascorrevo con il suo figlioccio, Stuart, che si occupava di teologia (non so se rendo l'idea). Stuart ammetteva di essere un po' gay, ma si voleva sposare e avere dei figli. Io gli dicevo che la sessualità umana era una cosa complicata, e che nessuno avrebbe dovuto vergognarsi per questo. La gente avrebbe dovuto provare vergogna per la violenza, per la crudeltà e perché era disposta a pagare per la pessima arte, ma non per il delicato equilibrio ormonale con il quale tutti quanti siamo nati e per il quale non c'è nulla che possiamo fare. La gente dovrebbe accettare le pulsioni, concedersele e servirsene per il proprio piacere. Altrimenti si finisce con l'essere disperati, repressi e con tutta probabilità acidi, e a che scopo? Be', questo era il mio punto di vista. L'unica esperienza di vita di Stuart gli veniva dalla lettura dello «Spectator». Era in grado di nominare i nomi dei membri del gabinetto ombra e di parlare dei diari di Chips Channon, ma non sapeva niente di sesso. Commise l'errore di starmi ad ascoltare. Era brillante, dolce ed effeminato, e aveva sufficiente senso dell'umorismo da rendermelo appetibile.

Una volta Daddy entrò nello studio e mi trovò spaparanzata con uno spinello in una mano e il ginocchio di Stuart nell'altra. La musica che proveniva dalle casse era tanto forte da far vibrare la stanza, ma non abbastanza, sfortunatamente per Stuart, per coprire il suono delle mie opinioni.

«Io penso che la prostituzione dovrebbe essere un servizio legalizzato» gli stavo dicendo, «con tariffe regolate, controllo medico e scaglioni di imposta. Penso che dovrebbe rientrare sotto la giurisdizione della Organizzazione Mondiale della Sanità.» Sogghignavo maliziosa quando Daddy entrò nella stanza, alto, feroce, vittoriano, al suo meglio, in poche parole.

«Stella! Abbassa quella maledetta musica, fa vibrare il pavimento.»

Stuart balzò letteralmente in piedi e si mise quasi sull'attenti, neanche fosse a militare.

«Cosa credi di fare?»

Io rimasi dov'ero, sul sofà, estremamente rilassata e piuttosto fatta. «Cosa ti sembra che stia facendo? Sono sdraiata a chiacchierare con Stuart.»

Stuart iniziò a balbettare come un personaggio dei cartoni animati. Non sapevo se avrebbe deciso di fare il valoroso e prendersi la colpa o se mi avrebbe lasciato lì a sbrigarmela da sola. Di certo non ebbe il tempo di domandare a Dio cosa ne pensasse.

Daddy sapeva di chi era la colpa. «Cos'hai in mano?»

«Niente.»

«Stella, lo vedo. Dammelo.»

«Darti cosa?»

«Stella!»

Daddy mi raggiunse, mi strappò lo spinello dalle mani e lo schiacciò nel posacenere di Hermès. «Vai a letto. Ora.»

Davanti allo sguardo sgomento di Stuart, mi prese per il braccio e mi trascinò fuori dalla stanza.

Non rividi mai più Stuart, ma domandai a Daddy cosa secondo lui avesse pensato il suo figlioccio.

«Non ho idea di cosa abbia pensato» disse Daddy con severità. «Quello che ha visto è una donna insolente che fumava droga illegale in casa mia.»

«Be'» risposi. «Aveva un'erezione.»

«Suppongo che non sarà l'ultima.»

«Me lo posso scopare?»

«No» disse. «Non voglio che ti scopi nessuno, grazie.»

«Posso se mi dai il permesso?»

«Io non ti darò il permesso. Non siamo ancora stanchi, non ci servono diversivi, abbiamo bisogno di fiducia, non di rischi. Non voglio che scopi con un altro uomo. Se dovessi decidere di introdurre questo elemento, te lo farò sapere. Potrebbe essere un uomo, potrebbe essere una donna, ma sarò io a occuparmene.»

«E se non mi dovessero piacere?»

«Ti piaceranno.»

«Posso farmi un tatuaggio?»

«No. Ora stai zitta e finisci l'uovo. Voglio leggere il giornale.»

Lo guardai storto da sotto la frangetta. «Io non faccio colazione. Te l'ho detto un secolo fa.»

«Stella! Fai come ti dico. E non parlare con me prima di aver finito. Dico sul serio.»

Mi lanciò un'occhiata che avrebbe abbattuto un palo del telegrafo.

Io odiavo le uova e mi sentivo giovane. E bagnata. Come al solito.

Un pomeriggio andai a Cheyne Walk e trovai Daddy con un americano di nome Daryl. Diceva un sacco di fesserie, perciò immaginai che fosse un artista.

Avevo ragione.

«Io sono interessato a trasformare in cultura i luoghi comuni» disse. «Voglio essere in grado di riprodurre un'atmosfera suggestiva.» Studiò i miei seni con intensità priva di imbarazzo. «Simboleggiarla, e ciò facendo neutralizzarla. Voglio studiare il distacco dell'alterazione e la fascinazione patologica dell'arte nei confronti della *retinalità*, ponendomi quindi la domanda se la donna/oggetto, indagata in una maniera antitetica, possa raggiungere una reale non-oggettività. E voglio guadagnare una valanga di soldi.»

Metà del mio viso cominciò ad addormentarsi, e intanto contorcevo i muscoli in una postura rigida destinata a celare la noia. Presto i tratti si irrigidirono in un ghigno, mentre il sangue smetteva di ossigenare le arterie vitali. Guardai Daddy. Sembrava che tutte quelle chiacchiere l'avessero convinto. Temo che fosse facile raggirarlo in campo artistico. Troppo Robert Ludlum e non abbastanza Robert Hughes. Non sapeva niente dell'arte del ventesimo secolo, ma uno dei suoi numerosissimi consulenti finanziari gli aveva consigliato di acquistarla. Perciò eccoci qui. A parlare con un artista.

«Io dico ai miei studenti, è assiomatico che la mia arte debba riguardare la relazione oggettiva con forme vitali che sono spinoziane nella loro intellettualità. I seni, o le caviglie, o le ginocchia, ridotte a mera geometria, possono servire per affermare un pensiero in merito alla storia dell'appropriazione e all'incapacità dell'uomo di reprimere i propri istinti. O emozioni, se preferite.»

Andò avanti per ore.

«E poi ci sono tutti i pronunciamenti dell'astrazione, le questioni di definizione e irrilevanza, di arte e di commercio, riguardo alla decadenza interiore e alla religiosità esteriore. La domanda è se il consolidamento di concetti universali possa avvenire per mezzo di simboli, se il tutto in disequilibrio assuma una posizione valida nell'ambito di un principio universale, qualunque esso sia, o se continui a essere necessario ricorrere alla scossa della frammentazione. Ciò è complicato dal fatto che nello studiare la forma femminile speriamo di entrare in sintonia con il pre-adamita, ma dobbiamo sempre affrontare il principio del piacere e tutti i meccanismi freudiani della comprensione.»

«Certo» disse Daddy.

«Sei inglese?» mi domandò Daryl.

«Sì» dissi.

«Io sono inglese da parte di mio nonno. Sono anche irlandese. E australiano. Dove vivono i tuoi?»

«Sono morti.»

«Oh, sei orfana?»

«Direi.»

«Sei cresciuta in orfanotrofio?»

«No.»

«Oh. Hai l'aspetto di una ragazza in libertà vigilata.»

«Dovresti conoscere mia nonna.»

Allora disse: «Mi piacerebbe che posassi per me. Nuda».

«Perché?»

«Be', tesoro. Il tuo compagno, qui, mi ha chiesto di dipingere il tuo ritratto e, guardandoti adesso, vedo che hai una forma adorabile. Sei la réclame del balsamo antipatriarcale, mi parli. Il tuo corpo parla di versioni radicalmente diverse dalle illustrazioni naturali: mi dice che non posso fare a meno di realizzare la mia Visione per aiutare tutti noi a capire che non esistono cose come l'uniforme deificazione. La tua forma, tesoro, il tuo corpo, rappresenterà Unawoman, la donna che può autenticare la fondamentale – e senza dubbio capace di generare la vita – opinione secondo la quale l'universalizzazione dell'estetica organica ha distrutto tutte le possibilità di integrare il sé, cosa che, come sono certo converrai, minaccia pericolose ripercussioni per tutta l'umanità e per il progresso della civilizzazione. Tu puoi aiutarci a salvare tutti noi dalla disgregazione.»

Cercai di essere gentile, ma sapevo che fare da modella sarebbe stato noioso e scomodo. Avevo incontrato abbastanza studenti di arte per conoscere i loro commerci con la Venere distesa. Una volta o due avevo commesso l'errore di cercare di compiacerli spogliandomi e sottoponendomi ai loro sguardi e alle lunghe discussioni sulla tradizione del disegno, sulla domanda se il controllo delle nascite ha influito sull'obsolescenza della grande icona femminile come simbolo di fertilità, ragione per cui le icone femminili oggi hanno corpi mascolini, e sul perché agli uomini piacesse guardare le donne e alle donne piacesse guardare le donne.

Queste esperienze mi avevano insegnato che io ero una piccola parte, quasi inutile, della loro causa. Avrebbero potuto utilizzare la geometria, la moda, i classici, l'addestramento, gli incubi matriarcali o il talento genuino, ma non erano interessati a descrivere la natura della modella; vedermi davvero li avrebbe confusi. Le loro teste erano affollate di concetti e composizioni, di problemi di tonalità e modernità e delle proprie mostre.

Sapevo che avrei dovuto contorcermi in una posizione innaturale per ore, fissare il vuoto con sguardo vitreo, consapevole che un mero battito di ciglia sarebbe stato interpretato come uno sconvolgimento sismico nel clima della concentrazione artistica. Non mi sarebbe stato concesso fumare o guardare la televisione, e magari avrei dovuto fingere di mangiare ciliege.

Io sono capace di compiacermi, e spesso lo faccio. Mi piacciono le attenzioni, ma non ne ho bisogno per essere sicura della mia bellezza. Io non sono la Musa che si arrampica in una soffitta per assoggettarsi alla lascivia di un malato libertino abile nel disegno. Solo la possibilità di approfittare del laudano, che di certo sarebbe corso a fiumi, mi avrebbe convinta a seguire il suo abito cencioso. Laudano e sifilide. Questo è tutto quello che una Musa può aspettarsi come ricompensa.

Io non sono attratta dal distacco creato dall'Uomo d'Arte. Non sono interessata a scavare nella sua aura introversa. Non mi appare come una sfida stimolante, né penso che egli possa finire con l'amare me e me soltanto. È, e sempre sarà, quello che un tempo si chiamava un egoista e che ora si chiama egocentrico. Non sa relazionarsi. Non è mai presente, a meno che non desideri fare sesso, nel qual caso te lo trovi davanti. Quando parla è per esporre, perché non è capace di ascoltare.

L'Uomo d'Arte non è mai presente.

Non ero interessata all'immagine che Daryl aveva di me, salvo che al livello basilare di un fugace divertimento, perché sapevo che quell'immagine non sarebbe mai stata me. L'Uomo d'Arte dipinge, mangia, dipinge. Non c'è spazio per il piacere. A volte si dimentica persino di offrirti da bere.

«Sono piuttosto occupata al momento» mentii.

«Dài. Andiamo, non ci vorrà molto» cercò di convincermi.

«Mi piacerebbe che lo facessi, tesoro» disse Daddy. «Mi piacerebbe avere un tuo ritratto, e ho chiesto a Daryl di dipingerne uno da esporre nella sua prossima mostra.»

"Oh, per l'amor di Dio" pensai. «Okay» dissi senza entusiasmo, guardando "l'artista" con un certo disprezzo.

«Sono peggio dei poeti» dissi a Daddy quando Daryl ebbe consumato l'equivalente del proprio peso in whisky e se ne fu andato. «Sentimenti non autentici avvolti nel narcisismo.»

«Stella!» disse Daddy. «È un pittore molto famoso e i suoi quadri si vendono a cinquantamila sterline sul mercato libero. Non solo questo rappresenta un investimento, ma è un onore che ti voglia dipingere. Lo puoi fare per me.»

«Direi di sì.»

Trovai dei cataloghi su Daryl e scoprii che aveva sempre dipinto nudi. Il cupo abbattimento era la sua cifra. Sapeva cogliere le varie sfumature della pelle ed era in grado di trasmettere la presunzione dell'autoerotismo. Il suo trucco consisteva nel combinare la sensualità fotografica con un sadismo latente, e questo aveva trovato un mercato tra i collezionisti che apprezzavano le forme femminili quando venivano mostrate come debosciate e imperfette. Il suo *Ondine in ceppi* gli aveva di recente portato novantamila dollari a New York e *Ninfa con l'occhio beccato dall'aquila scarna* era stato acclamato alla Biennale di Venezia. Era molto abile nel mascherare l'incapacità pittorica con sofisticati discorsi sull'arte. Aveva rubato alcune delle idee più kitsch dall'erotismo del passaggio di secolo, le aveva combinate con una rozza conoscenza della mitologia e addobbate con il deliberato intento di scioccare. Alla mostra della sua consacrazione aveva esposto una Leda che faceva sesso anale con il cigno, da cui era stato fatto un poster record di vendite. Ogni piuma era stata dipinta con attenzione alla trama e ai dettagli; si vedeva il becco giallo del cigno che penetrava nel piccolo buco del culo della donna deliziata. Daryl non aveva guardato oltre.

Possedeva più perizia grafica che la profonda e complessa capacità richiesta dall'arte, ma sono sicura che a lui non importasse. Era ricco. La stava facendo franca. Chi avrebbe potuto chiedere di più?

Daddy mi accompagnava alle sedute perché non voleva che ci andassi da sola.

«Non ti fidi di me?»

«No, non mi fido.»

«Non mi piace neanche quell'idiota.»

«Dicono che si scopa le modelle. E temo che possa darti della droga. La maggior parte delle donne di quei quadri sembra drogata.»

«Io pensavo che fossero in preda all'estasi. E comunque, cosa c'è che non va in uno spinello di tanto in tanto?»

«Non ho intenzione di discutere, Stella, tu farai come dico. Verrai ritratta, e io ti porterò lì ogni volta. Comunque, mi piace guardare il tuo corpo nudo.»

«Mi sembra giusto.»

Lo studio di Daryl era nel mezzo di un dedalo di costruzioni in lamiera ondulata e legno, affollate dai contenuti delle vite degli abitanti. Era uno "spazio" enorme. Intendo, un grande loft con una parete di finestre e pieno di vecchi sofà, cactus, una bicicletta, una vasca di pesci, un vecchio televisore, un muro di numeri del «National Geographic» e un totem degli indiani d'America alto un metro e ottanta decorato con ghirlande di scintillanti luci. Due manichini maschi nudi giacevano in una vasca in mezzo a un groviglio di rete da pollaio, insegne al neon rotte e scarpe.

"L'artista" indossava una maglietta bianca e un paio di jeans coperti di vernice. Le sue opere erano dappertutto. Tele dipinte per metà rappresentavano donne dagli occhi pesti e dalla pelle luminescente, sfumate su tinte verdastre, con grandi seni e fianchi maschili. Una, una sposa, in abito bianco, si era pugnalata allo stomaco e guardava dritto davanti a sé, morente, mentre gli intestini, resi con estremo realismo, scivolavano dal suo corpo. L'altra mano mostrava con orgoglio la fede nuziale. Il titolo era *Rock*.

Daddy mi accompagnò dentro tenendomi per mano e mi offrì con orgoglio, come se fossi sul punto di cantare o di suonare il piano. Guardai Daryl da dietro la frangia e aggrottai la fronte. Ero capace di aggrottare la fronte. Era l'unico tipo di ginnastica che facevo in quel periodo della mia vita. Tutte le altre donne seguivano Jane Fonda.

Daryl mi studiò con calma, con l'occhio da Uomo d'Arte. Lo sguardo avrebbe dovuto apparire intelligente e intenso, ma in effetti era un vacuo strabuzzamento. Io indossavo un paio di pantaloncini blu navy, un top e scarpe da ginnastica. Daddy aveva voluto che mi raccogliessi i capelli in una coda con un nastro bianco. Avevo l'eyeliner, le labbra rosse e un piglio di assoluto disprezzo. Ciò smentiva il fatto che l'avventura cominciava a eccitarmi. Non sapevo cosa sarebbe successo, e iniziavo a essere catturata dalla deliziosa prospettiva offerta dall'imponderabile. Tanto qualunque cosa fosse successa Daddy avrebbe assunto il controllo. Ero al sicuro. Cominciai a lasciarmi andare. Daddy mi accarezzò il culo e io fremetti. Bastava che mi sfiorasse e io lo desideravo.

«Daddy» sussurrai, «posso toccarmi, per favore? Non ce la faccio più.»

«No, non puoi» disse in tono brusco. «Sei pazza?»

Daddy era intimorito da Daryl e, per qualche ragione che non riuscivo a immaginare, sentiva il bisogno di mantenere il decoro di fronte all'artista. Ciò dimostrava quanto poco ne sapesse dell'arte e degli artisti. Io avevo avuto sufficiente esperienza da sapere che l'unica regola era non prenderli mai troppo sul serio, non a livello personale quantomeno, e non permettere mai che fossero loro a dettare le regole.

«Ci spogliamo?» disse Daryl, mentre si dava da fare con il quaderno degli schizzi e le matite.

«Come?» dissi. «Tutti?» Forse stavo per partecipare a una cosa a tre. Daryl e Daddy. Daddy e Daryl. L'idea non mi piaceva granché, perché non mi piaceva Daryl. Era troppo pretenzioso, e privo di senso dell'umorismo, come spesso sono gli americani, a meno che non siano ebrei. Comunque, si comportava come se avesse un grande cazzo e io avrei gradito vederlo. Magari era più grande di quello di Daddy. Sorrisi tra me e me.

«Solo tu, Stella. E smettila di essere impudente.»

«Se ha bisogno di condividere la propria vulnerabilità, mi metterò nudo anch'io» si offrì Daryl.

«Non penso che sia necessario» disse Daddy con cortesia. «Su le braccia, Stella.»

Io alzai le braccia sopra la testa e Daddy mi sfilò il top di cotone. Non portavo il reggiseno. Non lo facevo mai a dire il vero, a meno che non mi venisse detto di farlo. Abbassai la cerniera dei pantaloncini. Daddy infilò le mani nelle mutande di cotone bianco, mi strizzò il sedere in segno di possesso e mi abbassò le mutande lungo le cosce e oltre le ginocchia. «Esci» disse.

Lo feci. Poi io mi sedetti e lui si inginocchiò per slacciarmi i lacci delle scarpe.

«Brava ragazza.» Mi baciò sulle labbra.

«Forse la preferiva rasata?» disse Daddy.

«No, non penso. Anche se è un bel vedere. Mi piacciono le pudenda disadorne. La sfrondata pulcritudine delle fanciulle innocenti, sì, è un bel vedere che, ah, di sicuro, gradisco.» Daryl entrò nel mio spazio personale, si inginocchiò sul pavimento, piazzò la faccia a meno di dieci centimetri dal boschetto e fissò il monte di Venere come se avesse lasciato gli occhiali a casa.

Io abbassai lo sguardo sulla sommità della sua testa irsuta e grigia. Sentivo il naso che mi solleticava le labbra e mi domandai se avrebbe tirato fuori la lingua per leccarmi la punta del clitoride. Cominciava a contrarsi, ma non tanto da vedersi a occhio nudo.

«Fica graziosa» disse. «Sono tentato di dipingere solo lei. È mia convinzione che la vagina non sia abbastanza celebrata dall'arte. Vorrei porre rimedio a questo torto, magari potrei eseguire una serie: fiche vecchie, fiche giovani, fiche sanguinanti, fiche morte, fiche tumide di desiderio. Fiche con la barba. Fiche con i denti. Sono uno dei grandi misteri della terra dopotutto. Sono l'uscio chiuso della grande occulta madre terra.»

Vedevo che Daddy era preoccupato che potesse ritrovarsi con un minuzioso ritratto dei miei genitali, cosa che avrebbe faticato a spiegare alle zie di varia età che avevano promesso di ricordarsi di lui nei loro innumerevoli lasciti. Daryl rimase in ginocchio con la faccia di fronte alla parte bassa del mio corpo poi, senza chiedere il permesso, mi posò le mani sulla vagina e scostò le labbra in modo da poter guardare le pieghe interne. «Be', tesoro, è un fiore.»

«Il suo viso è altrettanto adorabile» osservò Daddy.

«Ha la faccia di una strega bambina» disse Daryl. «È senza età, indefinibile.»

Mi guardò il petto. «E ha dei seni magniiiiiiiiifici. Non troppo grandi, non troppo piccoli, perfettamente proporzionati.»

«Nessuno si è mai lamentato» dissi in tono cerimonioso.

«Vai a sdraiarti su quel sofà, tesoro, ti sistemo io.»

Mi sdraiai nuda sul sofà e mi arresi al suo controllo. C'era odore di trementina e pittura. Mi misi comoda, il che fu facile, visto che c'era una gran varietà di cuscini di velluto. Daddy si sedette su una poltrona di pelle con un bicchiere di vino rosso e ci osservò con interesse. Io mi stravaccai con fare provocante, allungando una gamba sullo schienale del divano e l'altra sul pavimento, così che potesse vedere le mie grandi labbra aprirsi per lui. Mi misi a succhiarmi il pollice, lo guardai e gli rivolsi l'espressione da adulta bambina. Faceva caldo. Ero nuda. C'erano due uomini a guardarmi. Cominciavo a divertirmi. Un calore familiare iniziò a insinuarsi nel bassoventre, e con esso arrivò anche un sorriso.

Mi domandai se Daddy avesse un'erezione. Lo speravo.

Daryl si sedette di fronte a me e mi fissò, in attesa che un'idea stimolasse il suo impeccabile istinto commerciale. Vidi un uomo sui cinquantatré anni con una frangia di capelli grigio-bianchi, il naso piatto e il corpo compatto, e tutto ciò mi fece immaginare una rissa da bar. Lui aveva un'aria alla Hemingway, ma dubito che fosse il tipo da spararsi.

«Volevo dipingerti come Pasifae» disse. «Ma non sono riuscito a procurarmi un toro.»

«Cosa intendi?»

«Pasifae era la madre del Minotauro. Quello che viveva nel labirinto e si mangiava gli ateniesi.»

Avrei tanto voluto mangiare un ateniese. Morivo di fame e non c'erano segni della torta di cioccolato che mi era stata promessa. «Ho fame, Daddy.»

«Devi aspettare, cara, Daryl sta lavorando.»

Daddy aveva tanto rispetto per l'artista perché non sapeva niente di arte. Non sapeva che la storia dell'arte era piena di imbroglioni. Aveva l'innocenza delle persone ignoranti che pensano che se qualcosa trascende la loro capacità di comprensione, deve esistere una ragione. Ci deve essere qualche segreto intellettuale o mistico al quale loro non hanno accesso. L'arte per Daddy era piena di regole che non aveva inventato lui e che non comprendeva. Aveva buon gusto per la bellezza e la sensualità, ma non gliene importava nulla di qualsiasi cosa fosse arrivata dopo Rodin.

«Daddy, muoio di fame. Se non mangio qualcosa svengo.»

«Svenire è bene» disse Daryl. «La ninfa che muore per amore; la febbre della tubercolosi; lo spirito infranto dal crudele paternalismo e dalla repressione tra le mura domestiche. O magari una di quelle malattie incurabili di oggi, l'AIDS forse.»

Gli lanciai un'occhiata truce ed ero sul punto di scaricargli addosso tutto il campionario del mio (mi piace pensarlo) efficace vocabolario, quando Daddy disse: «Sei un incubo. Cosa vuoi?».

«Cosa c'è?»

«Penso che sia meglio darle qualcosa da mangiare, Daryl, altrimenti non la finisce più.»

Daryl, che si stava trastullando al caldo del suo spazio artistico, immaginando, senza dubbio, che io soffrissi di una malattia terminale che avrebbe potuto dipingere, agitò il pennello e disse distrattamente: «Certo, penso che ci sia qualcosa in frigorifero, e un bicchiere di vino».

«Lei non può bere vino» disse Daddy. «Può avere un panino con pane nero e marmellata, un bicchiere di Ribena e della frutta se ha ancora fame.»

Qualcuno avrebbe potuto rimanere sorpreso da questo eccentrico editto, persino infastidito. Io di sicuro avrei voluto scopare Daddy subito, perché il dramma del controllo sul cibo risvegliava ogni singolo ricettore del mio corpo, come se mi avesse infilato tre dita dentro e avesse trovato le terminazioni nervose con le quali ormai era divenuto tanto squisitamente familiare. L'Uomo d'Arte si trovava di fronte una giovane donna e un uomo anziano impegnati in un arcano sottinteso erotico, ma non lo notò neppure. Non era interessato. Si stava godendo i frutti della sua visione e se non gli fosse caduta un'incudine sulla testa non se ne sarebbe accorta.

Daddy raggiunse l'angolo cucina e rovistò in giro. Si tolse la giacca, il che era un buon segno.

Daryl mi sistemò come un giocattolo. Alla fine mi ritrovai come una modella dei quadri di François Boucher, culo all'insù, viso rivolto verso di lui. Realizzò un rapido schizzo, poi mi cambiò di nuovo di posizione, mi mise sulla schiena, mi sistemò una gamba dietro il collo, così che il clitoride fosse costretto a sbirciare fuori e guardarsi attorno. L'assurda postura e l'esposizione pornografica mi erano gradite. Ero controllata e osservata. Mi divertivo.

«Sei molto elastica, tesoro» disse, mentre mi torceva da un lato e mi faceva ruotare il collo come un gufo. «Fai yoga?»

«No» dissi. «Probabilmente è il sesso. Ho dovuto sperimentare centinaia di nuove posizioni da quando ho cominciato a frequentare Daddy. È insaziabile.»

Daryl sembrava colpito.

Daddy, imburrando il pane, disse: «Stella! Comportati bene».

Daryl sorrise con arroganza.

E anche io.

«Ah, presumo che non sia il tuo vero papà» disse, «anche se sarebbe una straordinaria opportunità commerciale.»

«No, non lo sono» esclamò Daddy. «Il Cielo me ne scampi.»

«Ho visto il mondo» si vantò Daryl. «Non c'è nulla che possa scioccare un artista. È il nostro dono avvolgere tutte le sfaccettature e gli aspetti della vita, accoglierli, trasformarli magicamente, comunicarli al mondo per scopi educativi. L'artista deve sfidare le convenzioni. È un obbligo individuale e una legge privata.»

Alzai gli occhi al cielo. Facemmo una pausa per il pranzo. Daryl bevve una birra e disse che Baudrillard aveva ragione: l'incesto era naturale, per questo era un tabù. Daddy indietreggiò, prese un'insalata e mi porse un panino. Io mi sedetti nuda al tavolo e lo mangiai. I due uomini mi guardavano: Daddy con affetto, Daryl valutando le possibilità pittoriche.

«Lei di certo ha un che di Lolita» disse per farmi un

complimento. «Mi ricorda l'osservazione di Simone de Beauvoir riguardo alla Bardot: "Se si smarriscono, è perché nessuno ha mostrato loro la strada giusta, ma un uomo, un vero uomo, può ricondurvele".»

«Devi avere una memoria fotografica» dissi.

«Ah, certo» rispose compiaciuto, continuando a sciorinare citazioni con la perizia di chi è abituato ad affermare e ad appropriarsi delle idee degli altri. «"Disdegnare gioielli, cosmetici, tacchi alti e bustini significa rifiutare di trasformarsi in un idolo distante." Tu hai quel non so che, tesoro, e un fisico da ballerina e un seno allettante. Sei libera e selvaggia. Io adoro la tua indifferenza, la tua ingenuità, il tuo dannato culo. Mi piacerebbe guardarti danzare... a piedi nudi. Quanti anni hai, a proposito?»

«Venticinque» disse Daddy in fretta.

«Ma sembro più giovane della mia età» spiegai.

Daryl fischiò. «Assolutamente.»

«Quanti anni pensavi che avessi?»

«Non mi piace dirlo, tesoro, ma giovane. Troppo giovane.»

Se fossi stata ubriaca, avrei danzato, ma, per come stavano le cose, tornai a sdraiarmi sul divano. «Daddy» piagnucolai, «Daryl ce l'ha con la mia fica. Mi ci ha guardato dentro.»

Daddy si alzò e venne verso di me. Abbassò lo sguardo e disse: «Daryl ne ha il diritto, Stella. Se ha bisogno di guardare, può farlo. Se chiudi le gambe, ti sculaccio finché non le riapri».

«Ah, le sculacciate» disse Daryl drizzandosi. «I segni rossi della dominazione patriarcale. La donna percossa. La bisbetica domata. Le decadenti macchie cremisi sulla carne bianca.»

Sentivo che correvo il rischio concreto che quei due

si trascinassero a vicenda e io finissi dipinta con un culo fiammeggiante.

Daryl guardò la gamma di rossi sulla tavolozza. «Rosso su bianco» mormorò. «Punizione, mi piace. Ha la risonanza dello *zeitgeist*, può essere il simbolo del fallimento del maschio. L'ultimo disperato gesto di un genere in estinzione. È onesto. È bello!»

"Eccoci" pensai. "Qualsiasi scusa è buona."

Daryl, che si era arrogato una discreta gamma di diritti, mi ordinò: «Sdraiati a pancia in giù, tesoro».

Mi diede un paio di sberle sul sedere per verificare l'effetto della mano sulla pelle. Ripeté il gesto ancora un paio di volte.

«Molto grazioso» disse Daddy. «Un colore gradevole. Ma potrebbe essere più rosso.» Perciò, naturalmente, Daddy mi inflisse un paio di sferzate con mano esperta, finché io non mi misi a strillare e diventai paonazza, ed entrambi rimasero senza fiato.

«Ahia! Daddy, non ho fatto niente di male.»

«Lo farai.»

«Uh-uh» disse Daryl, e mi accarezzò il didietro fiammeggiante. «Ci siamo quasi.»

Mi voltò, mi fece sdraiare sulla schiena, mi mise una gamba sopra la spalla e una sulla spalliera del sofà.

«La baccante con il didietro rotto» spiegò.

Mi infilai un dito nella fica.

«Non ora, tesoro.»

«Stella, fai quello che ti dice.»

Ci vollero sei mesi. Non potevo crederci. Pensavo che non sarebbe mai finita. Era come se Dante avesse inventato un posto nuovo dal quale le anime torturate non avevano il permesso di emergere.

Daddy era paziente. Si godeva le visite, ma lui si è sempre sentito a proprio agio con la routine e la ripetizione. Ascoltava sempre le medesime sinfonie e a volte leggeva gli stessi libri.

Daryl nel frattempo mi propinò l'intera gamma delle sue opinioni. Se Daddy gli avesse dato il permesso, sono sicura che mi avrebbe scopato e, a volte, mi domandavo come sarebbe stato se lo avesse fatto. Io non credevo nella santità della monogamia – monotonia la chiamavo io – ma obbedivo alle regole di Daddy in materia, perché non volevo perderlo o ferirlo. Mi aveva domato abbastanza da essere sicuro della mia acquiescenza. Facevo quello che mi diceva. Flirtavo con tutti ma non lo ingannavo né mi davo da fare alle sue spalle. Era geloso e possessivo, e non voleva che nessuno mi toccasse. A me piaceva, ma non lo mettevo alla prova. Lui aveva stabilito i confini e io ero abbastanza eccitata da quei limiti per rimanere al loro interno; non avevo bisogno di varcarli per scoprire se quello che c'era fuori sarebbe stato più eccitante.

Tendevo a lasciare le sedute desiderando fare sesso, ma era sempre Daddy a darmelo.

Finii in un trittico di due metri e settanta. Ero enorme. Enorme e nuda. Daryl aveva dipinto tre posizioni e, sebbene fossero superficiali in maniera imperdonabile nella loro esecuzione, contenevano una certa veridicità fotografica: le tre Stella erano insolenti, annoiate e dimesse. Erano tutte nude, tutte bianche, e tutte e tre rendevano merito alla mia giovinezza, vale a dire che non c'era traccia della ragazza più che ventenne. C'era una ninfa senza fianchi, sull'orlo dell'adolescenza e resa "romantica" dall'attenzione di Daryl per i dettagli e dal sentimentalismo senza vergogna. Gli occhi – esito a definirli miei – erano leggermente più umidi di quanto avrebbero dovuto essere, il viticcio del pube delicato e ricciuto, le piccole labbra sporgenti, una sottile fessura di pittura rossa, minuscola ma indecente.

La galleria ne fu deliziata. L'ufficio stampa disse a qualcuno che io ero la figlia illegittima di Daryl e l'ossigeno della polemica proiettò la mostra sui principali giornali. Daryl parlava come un catalogo e tutti lo stavano ad ascoltare con rispetto. Daddy ricavò orgoglio e piacere nel vedere la sua ragazza ritratta in pubblico su larga scala.

All'inaugurazione ci aggirammo per la galleria, in mezzo a una folla di persone agghindate per uscire. Daryl aveva altri soggetti in mostra, ma i dipinti erano più piccoli e attiravano meno l'attenzione del pubblico, sebbene i critici li studiassero da vicino, strizzassero gli occhi con i nasi appiccicati alle tele e poi rimanessero in silenzio. Molte persone mi guardavano – be', guardavano il mio ritratto – nuda. Mi piaceva quasi come se fossi stata davvero nuda, ricevevo per procura quel genere di attenzione pruriginosa che mi aveva sempre eccitata. Mi piace essere guardata, mi piace e basta. La gente guardava il mio ritratto e io guardavo la gente che mi guardava. E guardavo me stessa. C'erano un sacco di sguardi. Tutti quanti parlavano dei dipinti e davano aria alle proprie opinioni di seconda mano, ma nessuno parlava con me. E nessuno mi riconosceva.

«È la nuova modella di Daryl. Sembra che abbia una storia con lui.»

"Gli piacerebbe, cazzo" pensai.

«Davvero. Quanti anni ha?»

«Lo sa Dio.»

«È un genio.»

«Per quanto lo vende?»

«Pare che sia già stato comprato. Un committente privato.»

Daddy aveva dato a Daryl venticinquemila sterline per il quadro. Gli chiesi dove lo avrebbe messo, e lui mi aveva detto che non ne aveva idea. Pensavo che fossero soldi spesi molto male, ma non dissi nulla. Erano soldi suoi. Evidentemente ne aveva abbastanza da buttarli via, a dispetto dell'Africa.

«Penso che sia bellissimo» disse. «E anche i critici lo pensano, e sanno quello che dicono.»

«Nessuno ha chiesto la mia opinione» borbottai immusonita.

A Daddy piacque questa esperienza "artistica". Soprattutto il fatto che tutti guardassero il ritratto della sua Stella nuda. La sua proprietà veniva ammirata senza il rischio di doverla proteggere per davvero. Lasciò l'inaugurazione con un'erezione. Jimmy ci portò a casa, e Daddy non poté aspettare. Non portavo le mutande, perciò non dovette fare altro che sollevarmi il vestitino nero (Chanel, me lo aveva comprato per l'inaugurazione) e darmi una ripassata lì, sul sedile posteriore dell'auto. Lo Chanel attorno ai fianchi, gli stivali neri ancora ai piedi, spalancai le gambe per lui. Si spinse dentro di me, tenendo la bocca sulla mia, venne con grandi sussulti tremanti e rumorosi.

«Ti amo» disse.

5

1984-5

Mi domandavo se avrei sposato mio "padre", se saremmo finiti insieme. Non è che mi sentissi attratta dalle colazioni silenziose e dagli squallidi dettagli di una morbosa vita domestica. Dopotutto, Daddy leggeva Robert Ludlum e Dick Francis, ed era ossessionato dalla salute. E, come tutti i ricchi, era incapace di comprendere chi non era come lui. Non afferrava il potere che dieci sterline potevano avere su una persona che non possedeva nulla.

Aveva le mani curate ed era pieno di fantomatici tumori. Non gli piaceva guardare la televisione, la disapprovava in maniera recisa. Si lamentava di programmi che non aveva mai neppure visto. Una volta gli domandai se si fosse laureato a Cambridge con una tesi in pomposità, e lui mi cacciò dalla stanza. Aveva delle pecche, io non volevo neanche considerarle, figurarsi viverci insieme. Non desideravo che la realtà dei suoi limiti mi deprimesse. Volevo che rimanesse perfetto. Il mio eroe. Era il mio primo amore. Gli altri amanti non erano stati che schermaglie, davvero, numerosi, ma tutti di passaggio, a volte stimolanti, spesso anonimi, a volte nel Wyoming. Avevo sperimentato l'eccitazione, gli orgasmi, soprattutto superficiali, ma alcuni profondi, e molto di rado avevo scoperto qualcosa di nuovo, ma non avevo mai avuto una relazione duratura, né la minima conoscenza degli uomini al di là dei loro bisogni sessuali, i loro gusti per la musica pop e le idee che avevano raccattato alla scuola d'arte. Ero affascinata e incantata da loro, ma non mi fidavo. Li guardavo come si osserva un mammifero con grandi zanne allo zoo, ma con minor rispetto, perché avevo studiato la storia.

Non mi interessava piacere agli uomini o essere desiderata, e questo mi distingueva dalla maggior parte delle donne, poiché le altre non pensavano che a quello: essere desiderate, ambite, a qualunque costo. Le osservavo contorcersi per conformarsi alla nozione diffusa di femminilità; e nel processo perdersi per poi domandarsi cosa non avesse funzionato. Io ero consapevole della mia anima, consapevole dell'autenticità, e naïve riguardo alle sfide dell'anticonformismo. All'epoca non mi rendevo conto che comportarsi come ti piace, indossare ciò che desideri, godere dell'indipendenza, assaporare l'autosufficienza era cosa insolita, né di quanto coraggio fosse necessario per sostenere tale posizione.

Ero considerata un'eccentrica, probabilmente una persona intrattabile, ma abbastanza sexy perché valesse la pena provarci. Alcuni uomini erano attratti da me, si godevano la sfida; altri mi odiavano a prima vista. Sapevano che io non mi sarei mai mostrata compiacente nei confronti del loro ego. Se ne avessi avuto voglia, avrei continuato a contraddirli; se ne avessi avuto voglia, sarei andata a Budapest. C'era voluto un Daddy per dominarmi, un uomo che conosceva la sceneggiatura senza averla letta. Nel periodo in cui lo frequentavo, non apprezzavo Daddy quanto avrebbe meritato, perché credevo ce ne fossero molti sulla piazza, che il mondo brulicasse di uomini di mezza età avidi di adolescenti mancate. In una certa misura avevo ragione, ma molti di loro avevano le mani legate. Non potevano perseguire i propri desideri proibiti, per via del matrimonio, della morale o di entrambe le cose. Non avevo realizzato che Daddy fosse unico e che ero stata fortunata a trovarlo.

Aveva paura? Per questo sentiva il bisogno di esercitare il controllo? La risposta: forse. Ma non aveva paura di me, né come individuo né come rappresentante del proprio genere. La prima e unica moglie era morta in un incidente d'auto quando entrambi avevano poco più di vent'anni. Il caos lo terrorizzava. Gli eventi sui quali non aveva potere lo terrorizzavano, e, non avendo alcuna fede, religiosa o altro, era solo con la propria paura.

Se una abat-jour finiva fuori posto, lui soffriva finché non veniva risistemata, e mettendola a posto calmava i nervi. Se arrivavo in ritardo, diveniva ansioso, ma celava l'angoscia dietro il ruolo di precettore che si era attribuito. Non aveva figli, ma molto amore da dare. Doveva riporlo da qualche parte. Mi piace pensare che fosse un uomo generoso con un sincero interesse per il piacere altrui.

Io, nel frattempo, ero una visitatrice nella sua vita e un'ospite nelle sue case. Mi piaceva la formalità, era distante ed erotica, e significava che qualcuno si prendeva cura di me. Come ospite godevo dei privilegi richiesti dalle buone maniere. Come sposa bambina sarei diventata una moglie, parte integrante del mobilio. Avrei dovuto farmi coinvolgere in interminabili discussioni su come foderare e restaurare gli Aubusson.

Una volta mi domandò se desiderassi un figlio. Dissi di no, e non scherzavo.

«E tu?» gli chiesi.

«Un tempo sì, quando ero sposato, ma penso che fosse perché volevo fare contenta mia moglie. Ogni tanto mi domando a chi lascerò tutto quanto, chi se lo meriterà, quanto solo sarò alla fine, quale è stato il mio contributo. Ma, stranamente, non volevo essere padre, non volevo essere costretto ad avere a che fare con i pianti, i capricci, le liti, le tasse scolastiche, le preoccupazioni, le delusioni. La paternità sembra un compito molto ingrato. Ma c'è una parte di me, be'...»

«Puoi lasciare tutto a me, se lo desideri» accennai.

«Ah, Stella. Prima di tutto non mi hai adulato abbastanza. Secondo, tu non sarai qui alla fine. Avrò una giovane infermiera, e si prenderà tutto lei.»

«Ehi!»

Il mio cuore sbandò nell'udire la profezia. Non mi piaceva l'idea di non esserci, di non avere il mio Daddy. "Forse dovrei sposare questo dannato uomo" pensai tra me, "se non altro per evitare che le infermiere lo depredino. Non sarebbe la fine del mondo. Con tutta probabilità potrei continuare a fare ciò che mi pare, almeno entro certi limiti."

Avevo sentito dire che non era saggio sposarsi per il sesso, ma a me sarebbe piaciuto fidanzarmi in stile anni Cinquanta, con un diamante abbacinante al dito e l'abito con la gonna tanto ampia da poter offrire riparo a tre senzatetto. Mia nonna indossava un vestito di questa estensione quando debuttò al Ballo della regina Charlotte. «Tesoro, che notte! Tutti volevano sposarmi.» Per sposare, naturalmente, lei intendeva fare sesso, che ai suoi tempi era la stessa cosa. Certo non avrebbe potuto fare sesso prima del matrimonio, visto che per togliere il vestito occorrevano tre ore, e per allora l'uomo sarebbe morto di stanchezza.

Un fidanzamento sarebbe stata una novità. Avrei potuto godermelo come se si trattasse di una pièce improvvisata, giusto per divertirmi un po'. Non volevo davvero impegnarmi con Daddy, come con niente altro, se è per questo. Se mi trovavo da sola con dei gerani, la responsabilità cominciava a preoccuparmi. Morivano sempre.

Ero consapevole, a un certo livello, della poco romantica verità che prima o poi la nostra relazione amorosa sarebbe finita. Non mi preoccupavo. Il sesso era spettacolare, appassionante e appagante. Eravamo distanti ma vicini. Il nostro mondo era sicuro, erotico e permeato di una fiducia totale e di una perfetta comprensione, per la quale l'onestà era indispensabile, sebbene non sempre facile.

A me non piace il cunnilingus. Non mi piace e basta. Qualcuno potrebbe dire che questo fa di me una cattiva amante, ma cos'è una cattiva amante? Daddy non mi domandava mai se pensassi che fosse un bravo o un cattivo amante. Se lo avesse fatto, mi sarei chiesta se la domanda derivasse dal desiderio di sapere o dal bisogno di conferme. Alcuni pensano che non esistano buoni o cattivi amanti, che dipenda tutto dall'amore e dalla chimica. Si sbagliano. Esiste la perizia; esistono l'esperienza e la generosità, e tutto ciò si può tramutare in una buona scopata.

Detto questo, così come non mi interessava se la gente pensasse che fossi o meno noiosa, non mi importava neppure se ritenesse che fossi una brava o una cattiva amante. Non mi preoccupavo davvero di quello che le persone pensavano di me, in quanto erano molto pochi gli individui di cui rispettavo il giudizio. Se fossi entrata in una stanza e avessi sentito il mio amante dire: «Grande cespuglio e noiosa a letto», avrei liquidato la cosa come un problema di chi stava parlando, e non mio. Io ero sicura delle mie azioni. Era una fortuna. Era più probabile che suscitassi terrore e confusione, piuttosto che ottusi apprezzamenti basati sull'ignoranza e sul bisogno di sminuirmi. Però, c'erano alcune cose riguardo al sesso con le quali avevo dei problemi quando incontrai Daddy.

Non mi piace il cunnilingus. Preferirei fare sesso anale in mezzo alla strada; preferirei essere incatenata a un muro e posseduta; preferirei ballare la lap-dance; preferirei farmi pisciare addosso. Mi piace pensare di essere aperta di mente, aperta ai diversi scenari, illimitati come l'immaginazione, ma non mi piace avere una lingua laggiù, come se ci fosse un cane bavoso. Mi domandavo se i Pechinesi fossero stati incrociati a questo scopo.

Non potevo assecondare l'illusione dei maschi che le loro lingue possiedano poteri miracolosi. Non sono né tanto gentile né tanto disonesta. Ma Daddy gradiva il cunnilingus e io mi opponevo. Mi dimenavo e lo spingevo via, ma lui pensava che facesse parte del gioco, e ne approfittava per sopraffarmi. Io lottavo ancora. Alla fine mi legava. Mi legava alle aste del letto a baldacchino, con le caviglie ai due estremi, le gambe spalancate, labbra e clitoride scoperti. Mi imbavagliava, in modo che potessi gridare quanto volevo e né lui né i cittadini di Kensington e Chelsea avrebbero sentito. L'imbavagliamento mi permetteva di lasciarmi andare, e Dio sa se avevo bisogno di aiuto per farlo. Non strillavo perché venivo, strillavo per la frustrazione e la paura. Avevo il permesso di esprimere ciò che volevo, e allora urlavo come una donna che non voleva che l'uomo esercitasse il controllo sul suo corpo, figuriamoci l'esposizione pura e semplice dell'orgasmo.

Se mi divincolavo dalla presa, cercando di evitare quella lingua torturatrice che solleticava e leccava con infaticabile intensità e orribile intimità, lui mi schiaffeggiava con forza sulle cosce, così il dolore cominciava a mescolarsi con la lingua e tutto formicolava e si scioglieva.

Schiaffi, baci, e poi la lingua sul clitoride, era un'agonia. Avrei voluto ucciderlo, ma lui continuava, e io sapevo che non avrebbe smesso finché non sarei venuta, perciò dovevo venire, dovevo lasciarmi andare e alla fine, dopo un sacco di lotta, urla, pensieri di vendetta, la mente si abbandonava, mi arrendevo e venivo, rumorosamente e seccata, ma accondiscendente. Alcuni uomini avrebbero potuto pensare fosse uno sforzo eccessivo per leccare la fica di una ragazza, ma a Daddy piaceva. Gli piaceva vincere.

Ero molto più compiacente riguardo alla fellatio, glielo succhiavo dove e quando mi chiedeva di farlo. Mi piaceva il suo cazzo. Era grande, pulito e circonciso, e stava a meraviglia nella mia bocca. Mi piaceva seguire le sue istruzioni e, così facendo, perfezionare quell'arte a suo vantaggio, modificando la tecnica per adattarla a lui. In quel momento non mi importava di nessun altro.

In genere nel sesso facevo quello che mi diceva di

fare e mi conformavo ai suoi desideri. Se voleva un pompino, lo otteneva. Lo amavo e lo soddisfacevo. Non mi è sempre piaciuto fare i pompini, e non apprezzo il fatto che con tanta volgarità gli uomini si aspettino che le donne siano deliziate nel vedersi presentare il pene a tale scopo. Presumo che gli uomini ritengano che le donne gradiscano guardare gli organi sessuali maschili, visto che a loro piace guardare quelli femminili. Ma non funziona così. Benché gli uomini si delizino di fronte a qualsiasi fica, basta che sia piuttosto vicina e disponibile, le donne sono molto più selettive. La cappella vibrante e la testa lucida debbono essere collegate a qualcosa di vagamente accettabile.

Io glielo succhiavo nella maniera in cui a lui piaceva farselo succhiare, vale a dire prendendo la punta in bocca, succhiando con una certa foga, massaggiando con la lingua, mentre delicatamente gli coccolavo l'asta e gli manipolavo le palle. Il suo cazzo era sia largo sia lungo, e, eretto, non poteva arrivarmi in gola senza provocarmi lacrime e conati, il che non è né nobile né confortevole. Io non ero una giraffa dopotutto. Ma l'inizio era divertente, la cappella che si allargava nella bocca, il potere che avvertivo quando la sferzavo con la lingua, il piacere di lui, mentre il sangue montava e Daddy combatteva per conservare il controllo fisico e mentale e si esercitava a mantenerli, si concedeva di raggiungere l'orgasmo lentamente, controllava se stesso come controllava me.

La sua generosità riguardo ai miei bisogni era sconfinata, perciò mi aveva insegnato a fare altrettanto. Fino a quel momento ero stata un'egoista, perché avevo incontrato quasi solo egoisti. E inetti. Ciò detto, la prima volta che mi venne in bocca reagii al contempo con sorpresa e furore. Gli sputai la sborra dritto in faccia. Lui sorrise e, con grande dignità, ripulì il grumo dalla guancia. Era sul punto di dire qualcosa, ma io mi alzai e lasciai la stanza. Mi trovò in bagno, rigida per la rabbia, avvolta in un grande asciugamano bianco, fumavo una sigaretta proibita. Non sapevo perché lo odiassi tanto. La bocca protesa in un muso da monella, letteralmente tremavo.

«Che problema c'è?» domandò.

«Vaffanculo.»

«Non parlarmi in questo modo.»

Mi incupii e venni sopraffatta da una muta rabbia adolescenziale.

«Stella, smettila di fare la stupida. Tu puoi dire tutto al tuo Daddy, lo sai.» Mi tolse la sigaretta dalla bocca, la spense sotto il rubinetto e la gettò nel cestino. «Stella!»

Buttai fuori l'aria, mi strinsi tra le braccia e dissi la verità: «Non mi piace lo sperma. Non mi piace che io sia tenuta a volerlo in faccia, su tutto il corpo, a farmelo gocciolare dagli orifizi come nei porno. Non capisco perché quei tizi, quelli dei film, si aspettino che il mondo porti rispetto al loro seme e non capisco perché costringano le donne a berlo. Non devo adorare un liquido solo perché è pieno di cromosomi maschili. Perché sono tanto orgogliosi dei loro spermatozoi, se ce li hanno tutti quanti, se è normale produrli in quantità spaventosa? Voglio dire, posso venerare il coraggio, l'originalità, lo charme e il senso dell'umorismo, ma non mi piace quella roba bianca, e non posso fingere. Mi fa venire la nausea. Non la voglio negli occhi, in bocca, e neanche nelle orecchie, se è per questo».

Sorrise. «Non mi ero mai imbattuto in questo disgusto prima, o comunque nessuna donna lo aveva mai ammesso. Temo di non aver considerato che avrebbe potuto darti noia, ho dato per scontato che non ti infastidisse. Visto che a me piacciono i tuoi fluidi, come li chiami tu, pensavo che anche tu non avessi nulla da obiettare sui miei. Tra l'altro avevamo stabilito che io non dovessi chiedere il permesso per niente. Tu fai quello che ti dico.»

«Ci sono dei limiti.»

«Hai ragione. Ci sono dei limiti, e avrebbero dovuto essere definiti. Avremmo dovuto parlarne. Dovremmo parlare di tutto quello che facciamo, soprattutto quando giochiamo. C'è molto spazio per l'errore e il dolore. Ci sono cose che neanche a me piacciono. Non ho intenzione di leccarti il buco del culo, per esempio. Sebbene io abbia intenzione di infilarci le dita e il cazzo. Ora vieni qui.»

Mi baciò. Gli restituii il bacio. L'asciugamano cadde, lui mi abbracciò e mi succhiò i seni. Poi riempì la vasca e mi ci fece entrare. Mi lavò i capelli. Mi massaggiò il collo e la schiena. Mi parlò sottovoce, come si fa con un bambino che ha bisogno di incoraggiamento. «Domani ti rado» disse, «e studierò la tua piccola fica monella.»

La rabbia scivolò via, ma non ne conobbi mai l'origine. E l'ignoro tutt'ora. Daddy sapeva sempre come comportarsi, e mi faceva sentire meglio, e molto spesso mi aiutava a separarmi dalle inutili convinzioni e dalle piccole ansie segrete. Sembrava un tipico benpensante di Chelsea, ma era capace di un'apertura mentale che andava molto oltre la mia. Niente lo scioccava, salvo le cattive maniere. Era straordinario.

Mi piaceva andare in macchina con Daddy. Aveva una Mercedes verde scuro e guidava benissimo, con destrezza. Allacciava sempre la cintura di sicurezza per me. Alla fine del viaggio, usciva, mi apriva lo sportello, mi sganciava la cintura e mi porgeva la mano per aiutarmi a scendere. Mi baciava sempre sulle labbra, a prescindere da quello che era successo durante il viaggio, e capitava sempre qualcosa, era inevitabile, perché non potevamo stare insieme più di mezzora senza infuriarci l'una con l'altro.

Ero io che di solito davo inizio alla messinscena. Ero provocatoria, intraprendente e più giovane. Lui aveva meno energia, ed essendo maschio, preferiva concentrarsi sul percorso e sulla guida piuttosto che su di me. Per lui la priorità era assicurarsi che ci fossero sempre un righello e una spazzola nello scomparto sotto il cruscotto, per ogni evenienza. Una volta io li gettai fuori dal finestrino, il che non mi giovò affatto. Aveva un frustino nello stivale, mi fece piegare sul cofano e mi striò il sedere e le cosce finché le mie urla non misero in fuga gli uccelli tra gli alberi. Non mi potei sedere per una settimana.

Perciò andare in giro in macchina era divertente.

Mi rifilava sempre dei sermoni sul comportamento.

«Sei una ragazzaccia cattiva e ti manderò via.»

«Non voglio andare via, a meno che non sia per andare a guardare gli uccelli in Madagascar.»

«Non oso immaginare come dovevano essere le tue pagelle. Sarebbe uno spreco di denaro cercare di educarti.»

«Non ho bisogno di essere educata, grazie. Sono laureata in Letteratura Inglese.»

Mi irritavo o mi bagnavo, o tutte e due le cose insieme, e poi dovevo chiedere il permesso di toccarmi, con gli stivali appoggiati al cruscotto, le gambe divaricate, mi accarezzavo mentre lui cercava di concentrarsi sulla strada e gli veniva duro.

In una di queste occasioni, mi accusò di essere immatura ed egoista. Disse che il senso della soggiogazione sessuale non era il piacere del momento, ma di condurre a un territorio dove introspezione e mutamento avrebbero trovato compimento. Il senso della soggiogazione, a parte la palese catarsi del sollievo fisico e la sensualità dell'abnegazione, era apprendere l'umiltà e, per mezzo di questa sottile comprensione, raggiungere la trascendenza della generosità incondizionata.

Dovevo imparare il compromesso. Accettare i difetti di un amante o di un amico significava apprendere l'odio nell'amore. Se mi fossi allontanata dal mio sole, mi diceva, avrei scoperto interessanti aspetti di me e questo mi avrebbe portato a dare agli altri una più ampia parte di me. A suo parere, era questo l'unico modo per raggiungere e ottenere l'equilibrio personale.

Guardai fuori dal finestrino, in modo che non si accorgesse che stavo alzando gli occhi al cielo. Era come dirmi che Sid Vicious non era mai esistito. Non mi ero mai sacrificata per nessuno, e non intendevo cominciare solo perché era lui a suggerirlo. Lo amavo, a modo mio, ma non ero stata programmata per certe cose. La mia vita interiore, autoreferenziale al limite dell'autismo, era dedicata alla ricerca del piacere e alla fuga dalla noia.

Amore incondizionato, certo. Non esisteva una cosa del genere. Qualsiasi onesto altruista ammetterebbe che la sua ricerca mitiga l'intima sensazione di inutilità. L'amore materno non è che un fattore genetico sviluppato per proteggere la specie. Quando vivevo nel lower East Side, scrissi con il sangue sulla parete del mio appartamento: «Uccidete tutti gli hippy». C'era una ragione. Credevo sul serio che gli anni Sessanta avessero prodotto una generazione di anormali marci di droga il cui lascito era una lezione su come essere inconcludenti. Amo il caos, odio Ashbury. Non fidarti mai dei fiori. Soprattutto i bucaneve, con le loro stupide testoline che mentono sulla fine dell'inverno. Perciò gli dissi che mi stava propinando la solita merda hippy.

Arrestò l'auto nel mezzo della strada di campagna, con una frenata stridente, e parcheggiò in un viottolo sterrato. Mi trascinò fuori dal sedile del passeggero. Era estate. Indossavo una minigonna nera, una blusa spiegazzata vintage, alla quale avevo strappato le maniche per farla assomigliare a un gilet, e un paio di scarpe di velluto bordeaux stupidamente alte, sette centimetri di tacco a spillo, la punta arrotondata, un po' zeppati.

Aveva piovuto, perciò c'era molto fango. In seguito mi domandai se Daddy conoscesse il luogo, immerso nella campagna, isolato, con campi e recinti, sul margine di un bosco. Mi trascinò lungo un tunnel verde scuro fatto di noccioli troppo cresciuti e faggi. I pantaloni grigi immacolati e le scarpe sportive nere lucide raccoglievano fango e foglie, mentre mi stringeva il polso e si inoltrava nel bosco, barcollando e borbottando.

C'erano molte pozzanghere e fango molle, per cui era davvero difficile camminare. Io mi lamentai che le scarpe si sarebbero rovinate per la fanghiglia che mi schizzava sulle gambe nude, quasi fino alle ginocchia; gli dissi che era colpa sua e me ne doveva comprare delle altre.

Non parve accorgersi né della mia voce né della mia presenza.

Camminammo per ore. In seguito mi disse che erano passati al massimo dieci minuti e che io esageravo come al solito, ma a me parvero ore con il fango, le ortiche e i rovi che mi pungevano le gambe.

«Vaffanculo» osservai. «Perché vengo punita? Perché ti ho chiamato hippy? O perché ho osato contraddirti?»

Fino a quel giorno non avevo mai incontrato un uomo che sopportasse di essere contraddetto da una donna.

«Nessuna delle due cose. Primo, non sono mai stato un hippy. Ho vissuto a Ginevra per gran parte degli anni Sessanta. Secondo, considero quello l'insulto che tu volevi rivolgermi. Imparerai quello che intendevo dire. Imparerai a darti completamente a me.»

Raccolse dei bastoni, li buttò via, ne raccolse ancora, trovò quello che cercava.

«Voglio pisciare.»

«Dovrai aspettare.»

«Voglio pisciare.»

«Oh, per l'amor di Dio. Passami le mutande e accovacciati lì davanti a me.»

«È un po' difficile con queste scarpe e con il fango» gli feci notare.

«Fallo, Stella, sto perdendo la pazienza.»

Mi appoggiai alle sue spalle e lui mi abbassò le mutande, faticando a farmele passare dalle caviglie e oltre le scarpe sformate. Io mi accovacciai e gli feci la pipì sulle Church's lucide.

Vedendo quello che avevo combinato, cosa che comunque non avevo fatto di proposito, mi infilò gli slip in bocca, mi spinse carponi in mezzo alle foglie e al fango, trasse a sé il mio culo e mi percosse con il bastone come un cane.

E io guaii come un cane. «Ahia! No!»

Mi frustò il didietro nudo con quel salice schioccante

con tanto vigore che pensai si sarebbe rotto. Ma non successe, lui continuò e continuò, mi frustò fino a farmi sentire ogni singola sferzata sulla carne bianca. Pensavo che non avrebbe mai smesso. Avevo la faccia nel fango, sentivo l'odore della terra, il dolore e la calda eccitazione attorno al clitoride. C'erano solo il rumore della sferza sul culo, il tubare di un piccione solitario e il respiro di Daddy, mentre si concentrava sul piacere conferitogli dal potere; c'erano il castigo, impartito con mano esperta, la sua erezione, il luogo silenzioso e le nostre rispettive sessualità, la fiducia assoluta nell'affrontare lo straordinario e trovare piacere in un territorio di estremo dolore, ma dove a nessuno viene fatto del male.

Attese. Silenzio. Mi collegai con il dolore fiammeggiante che mi serpeggiava lungo le natiche e le cosce. Sentivo il sangue che pulsava sulle ferite. Le endorfine entrarono in circolo. Entrai nella zona della sottomissione: trasognata, servile, sorridente. Il dolore mi ricondusse al presente, tanto quanto era possibile esserci. C'era solo l'istante. L'humus. L'odore di Daddy e della terra. I pensieri scomparvero. La mente si riposò. Pensai che avesse finito con me e cominciai a rilassarmi, ma no. Questa volta ero condannata. Mi frustò ancora, il bastone mi segnava la pelle, ancora e ancora.

Sopraffatta, scoppiai in lacrime.

Si fermò. Mi infilò le mani nella fica per accertarsi che fossi bagnata. Mi tolse le mutande dalla bocca e se le infilò in tasca. Quindi mi fece alzare in piedi, mi afferrò il mento e mi sollevò il viso rosso solcato dalle lacrime. Io smisi di singhiozzare e mi calmai. Mi baciò e disse in tono fermo ma gentile: «Tu mi ascolti quando parlo con te».

Gli porsi la mano inzaccherata e lui mi riaccompagnò all'auto. Mi fece accomodare sul sedile del passeggero, mi sedetti con il culo nudo rovente contro la fodera, le cosce disgiunte per mostrargli le labbra turgide e pulsanti. Mi allacciò la cintura di sicurezza e disse: «Ora calmati».

Avevo le mani posate sul sedile ma, quando lui abbassò lo sguardo su di me, il monte di Venere venne scosso dalle convulsioni e venni spontaneamente. Mi guardò. Venni di nuovo. Sorrise e l'angolo degli occhi si increspò. Ero completamente innamorata di lui, e lui era nel giusto. In quel momento avrei fatto qualsiasi cosa per quell'uomo.

Daddy possedeva una casa in campagna. Le origini erano elisabettiane, ma era crollata ed era stata riedificata parecchie volte, così che una parte era di legno e un'altra stile Regina Anna. Non aveva alcuna simmetria, ma aveva carattere, poiché le aggiunte fatte con gli anni riflettevano i gusti, l'ego e la disponibilità economica dei diversi proprietari. Ora aveva torrette e camini, archi e cortili, e giardini che richiedevano la cura di tre uomini. C'erano le stalle e una piscina, diversi giardini recintati e boschi e, in lontananza, cinquecento acri di Sussex.

Una torre rotonda dominava uno degli angoli. Era ricoperta di edera e aveva finestre lungo tutta la circonferenza, così che si poteva ammirare la campagna per chilometri. Quella era la mia camera da letto. Potevo guardar fuori a trecentosessanta gradi su campi e foreste, mucche e pecore, e viottoli che non conducevano da nessuna parte.

Un tempo era la stanza degli ospiti, ma Daddy

l'aveva adattata per me. Dormivo in un letto a baldacchino con pesanti drappeggi di seta color crema e uncini ribattuti su ognuna delle quattro aste, a diverse altezze. C'era una libreria di noce, un tavolo, un sofà verde, un camino, un baule ottomano e un ampio guardaroba bianco. Il bagno era perfetto, con la vasca vittoriana e molti specchi, e una collezione completa di oli e creme. Daddy era molto attento ai prodotti per il bagno. Si aggirava per i negozi di Jermyn Street, annusava tutto e sceglieva. Io ero sempre oliata e profumata. Non che avessi bisogno di creme, salvo quando mi metteva a quattro zampe e mi si infilava nel retto, spingendo l'asta dura dentro di me mentre le mani grandi giocavano con le labbra e il clitoride, portandomi al climax nel momento in cui eiaculava dentro di me. Mi portava all'orgasmo con le mani e poi mi avvolgeva in un ampio telo di spugna bianco.

Per accedere al mio "appartamento" si percorreva una scala a chiocciola di pietra, molto difficile da salire con i tacchi alti. Daddy mi seguiva mentre io camminavo a fatica, borsetta, guanti, soprabito, calze con la cucitura, stivali leopardati con i tacchi a spillo. Rideva nel vedermi arrancare sgraziata, e si godeva l'erezione risvegliata dai miei sforzi. Una donna in difficoltà lo eccitava sempre. «Non so perché, davvero» cercò di spiegarmi una volta. «Ma sospetto che la verità sia che esista in me un'atavica convinzione secondo cui una ragazza in difficoltà per i tacchi alti è una ragazza che non può scappare. E una ragazza con i tacchi alti e le mani impegnate a trasportare qualcosa è una ragazza che può essere presa.»

Gli piaceva violentarmi. Naturalmente non è quella la parola giusta, visto che una violenza implica illegalità e mancanza di consenso. Forse uno di questi giorni le stanche femministe nei loro circoli angusti smetteranno di combattere contro loro stesse e troveranno una parola pertinente per lo stupro consensuale, una parola che denoti la padronanza di una fantasia e la realizzazione di una serie di circostanze che nulla hanno a che vedere con i terribili reati sessuali, ma coinvolgono un bell'uomo che segue una donna lungo la strada e poi in un vicolo buio. Ha il cazzo pulito, non è né obeso né putrescente. Ti strappa i vestiti di dosso perché sei tu che lo desideri. Tu lo mordi e lo graffi. Lui ti blocca a terra. È violenza, ma non lo è.

Sapevo quando voleva stuprarmi, perché mi diceva di andare da qualche parte, che mi avrebbe raggiunto più tardi. Diceva: «Stella, vai a prendere un po' di verdura nell'orto, ti raggiungo lì. Devo fare alcune telefonate. Ti ho lasciato i vestiti sul letto. Vai ora».

C'era sempre un costume per lo "stupro", che aggiungeva piacere e che veniva immancabilmente strappato, per cui doveva essere nuovo ogni volta. Una tenuta da stupro? Accidenti. Le regine a Parigi hanno creato molti stili di abiti in cui farsi violentare. Daddy sceglieva con cura. A volte comprava dei capi speciali. A volte pescava tra gli abiti appesi alle grucce di legno immacolate nel mio guardaroba bianco. Sceglieva grucce perfette, sebbene non se ne servisse mai per picchiarmi. Non erano abbastanza elastiche, diceva. E io ero d'accordo. Preferiva uno scudiscio di rami di salice.

Imparai a essere ordinata per lui, nonostante non fosse la mia inclinazione naturale. Se veniva in camera da letto e trovava dei vestiti sul pavimento, mi sculacciava fino a farmi urlare, o singhiozzare, o entrambe le cose. E sebbene questo fosse molto gradevole, e spesso lo facessi arrabbiare di proposito, iniziai anche ad apprezzare l'ordine. Trovavo rilassante piegare, appendere e sistemare. Concordavo con lui che fosse da viziata non apprezzare le cose che aveva comprato per me, e sciatto lasciare in giro pile di abiti sporchi perché Susan le raccogliesse.

«Sta diventando buio» dicevo. «Non si vede niente.»

«Prendi una torcia.»

Io camminavo nella penombra della sera estiva, un'innocente pastorella che si insinuava in un'Arcadia circondata da pericolosi villici. L'oscurità crescente e la consapevolezza che a breve sarei stata aggredita e presa con la forza mi faceva battere forte il cuore, sempre di più a mano a mano che trascorrevano i minuti, e lui ogni volta mi lasciava a vagare per almeno un quarto d'ora, e un quarto d'ora può essere un tempo molto lungo quando hai il batticuore e le ombre crescono attorno agli alberi, gli arbusti, i cancelli, i casotti, e per tutto il tempo rimani in ascolto per sentire lo scricchiolio di un passo sulla ghiaia, o un respiro pesante, o un'ombra passeggera dietro la statua di Sansone che trucida i Filistei.

Daddy era bravo ad appostarsi, doveva aver seguito un addestramento ninja. Era così scuro e silenzioso. Mi sorprendeva sempre, non importava quanto io fossi allerta, consapevole del cosiddetto pericolo in agguato. Mi aggiravo nervosa nei giardini che divenivano bui, le ombre dei vigneti come dita striscianti sui muri grigi di pietra, tremante fino alla punta dei capelli, le vecchie cellule che mettevano in atto la loro danza evoluzionista per cercare di farmi sembrare più grande davanti al pericolo. La minaccia non era reale, certo, ma come quando si guarda la scena di un thriller, la mente e il corpo perdevano il senso della realtà e reagivano alla finzione. Di solito mi afferrava da dietro, e io strillavo forte, per lo shock e per alcuni secondi di paura vera. Mi posava una mano guantata sulla bocca, sebbene questo non riuscisse a fermare le urla. Poi mi spingeva per terra, si sedeva sopra di me e mi strappava i vestiti di dosso. La piccola blusa di pizzo, il reggiseno a balconcino, la gonnellina leggera, che non avevano nessuna colpa, salvo forse quella di aver rivelato le sfere bianche del mio culo a chiunque fosse stato abbastanza fortunato da camminare dietro di me. Qualunque cosa indossassi me la strappava, così che i miei seni, duri come chiodi, erano a sua disposizione perché li succhiasse e li mordesse. Anche le mutande venivano strappate. Le squarciava letteralmente. Una cosa che solo un uomo determinato e forte può fare, poiché non è semplice come sembra, a meno che le mutandine non siano molto leggere, e di solito lo erano.

Io mi dibattevo come un demonio. Be', chi non l'avrebbe fatto? Lo prendevo a pugni, scalciavo e urlavo, e usavo tutto il vigore possibile contro quella forza bruta, ma lui mi sopraffaceva per il semplice fatto che era più forte di me. Mi piaceva sentire la sua forza. C'era una parte di me che non desiderava vincere. Volevo sapere che la sua superiorità era schiacciante, che non potevo combatterla. Ma combattevo. Mi piaceva combattere. Cercavo di respingerlo con tutti i muscoli del corpo, ma lui si sedeva su di me e tirava il mio volto verso il suo con le mani. Ero costretta ad accogliere la lingua. Una mano mi spingeva le braccia dietro la schiena e l'altra entrava dentro di me, le dita penetravano tra le gambe scalcianti. Alla fine, mi girava, estraeva l'uccello dai calzoni e semplicemente mi scopava, mentre io fingevo ancora di non volerlo e che lui era un bastardo.

Mi diceva che avevo avuto quello che avevo chiesto. Il che era vero, ovviamente. Veniva dentro di me, si alzava, infilava il cazzo nei pantaloni e si allontanava nella notte, lasciandomi aperta, sporca e sola nell'oscurità. Intontita e impolverata, in uno stato di confusione post-coito, post-orgasmo. Allora io tornavo a casa, sembravo la vittima di un crimine: la faccia inzaccherata, i vestiti lacerati, ma la fica bagnata e pulsante e la felicità che derivava da ciò che sarebbe arrivato subito dopo. Mi baciava sempre quando rientravo. Dopotutto eravamo stati in uno strano posto. Se in quel momento di grande intensità fossimo rimasti lontani, avrei potuto scivolare nel ruolo della vittima, il che sarebbe stato nocivo e ingiusto.

Era importante ricollegarsi subito. Ci sedevamo comodi nel salottino. Lui beveva un bicchiere di vino rosso e io uno di Coca-Cola, ancora con il viso impolverato. Daddy mi sorrideva, mi accarezzava i capelli e mi domandava se mi ero divertita.

In altre occasioni, potevo trascorrere due giorni in campagna e non ricevere la minima attenzione. Daddy usciva, andava da qualche parte e Jimmy mi comunicava di aver ricevuto istruzioni perché non mi desse la chiave di nessuna delle automobili, ma che potevo uscire con i cani per una passeggiata se lo desideravo. Quando riconoscevo la sua auto sul vialetto d'accesso, ero immusonita e piena di risentimento. In una di queste occasioni lo sentii che si aggirava rumorosamente per trovarmi. Io mi ero nascosta dietro uno degli arazzi in corridoio, come Polonio.

«Vieni fuori subito, cosa pensi di fare?»

Nascondermi.

Trascorsi tutto l'agosto del 1985 in campagna con Daddy, ma non mi fu mai concesso di passare la notte nella camera da letto padronale. Andavo a fargli visita alla sera e al mattino, quando venivo convocata. Daddy non mi permetteva di condividere i suoi "appartamenti", avevamo territori separati, come nei romanzi gotici vittoriani. Dormiva molto male, mi diceva, e peggio se c'era qualcuno di caldo che respirava accanto a lui.

«E tu russi» gli feci notare.

«Io non russo.»

«Tu russi. Ho appena ricevuto la lamentela di un uomo che vive a Inverness. Ha detto che ti ha sentito. Ha detto che si tratta di inquinamento acustico.»

«Non essere assurda.»

Quindi dormivamo in camere separate, ma non mi importava, dato che lui russava. Io dormivo sempre molto bene, cosa che lui trovava oltremodo irritante. Era per lui fonte di grande delizia salire le scale alle quattro del mattino, se stava passando una brutta notte, e semplicemente penetrarmi mentre dormivo. Io mi svegliavo con il suo grande cazzo dentro di me e il suo respiro sul collo.

Una volta bussai alla porta della camera da letto nel cuore della notte, finsi di aver avuto un incubo, ma in realtà volevo solo fare sesso. Era sveglio. Lui era sempre sveglio. Indossava solo i calzoni del pigiama a righe di Brooks Brothers. Ne aveva comprato una scorta quando era andato a New York. Mi prese per la mano, mi accompagnò oltre i ritratti, fino alla mia stanza, dove rimase con me in attesa che mi addormentassi.

«Voglio un bicchiere d'acqua.»

«Non intendo sentire un'altra parola da te.»

«Voglio fare sesso.»

Mi infilai le dita nella fica e gli mostrai quanto ero bagnata.

Ma lui si limitò a sorridere. «Masturbati. Lo sai che mi piace guardarti.»

Mi accarezzai. Allora lui si alzò, mi scrutava, alto e severo. «Vai avanti. Voglio vederti venire.»

Mi accarezzai finché non venni, e quando accadde, lui mi infilò tre dita dentro e mi portò da un piccolo orgasmo a un'ondata di piacere che durò finché non mi perdetti del tutto.

«Ora vai a dormire. Sono molto stanco.» Si leccò il mio succo dalle dita, poi mi baciò le labbra. Spense la luce, ma lasciò accesa quella del corridoio. Sentii i passi che si allontanavano e pensai a lui mentre mi addormentavo.

Cosa poteva desiderare di più una ragazza?

Se veniva nella mia stanza e non mi trovava, era un problema, perché dovevo avvisarlo se uscivo. Aveva sempre bisogno di sapere con esattezza dove fossi. Se non ero dove avrei dovuto, mi trovava e mi puniva. Una volta mi stava cercando, io ero in giardino, mi trasportò letteralmente in casa, mi distese sulle sue ginocchia in una sedia nell'atrio, mi abbassò le mutande e mi sculacciò lì, incurante del rischio che potesse passare qualcuno della servitù. Poi dovetti rimanere in piedi nell'angolo, faccia al muro, gonna e mutandine sul pavimento, con il sedere in fiamme e una testa di cervo che mi fissava dall'alto.

«Rimarrai lì fino all'ora del tè» disse.

Aveva bisogno di sapere sempre dov'ero.

Un altro giorno presi la Ferrari e la lanciai a centosessanta all'ora attorno alla proprietà; uno dei vicini si lamentò. Quando entrai nel vialetto d'accesso, le ruote stridenti, ed eseguii una curva tirando il freno a mano come mi aveva insegnato un allievo di Harrow nel 1973 (i suoi genitori erano via in quel periodo), Daddy mi aspettava. Era colpa sua, sia perché possedeva una Ferrari, sia perché ci lasciava le chiavi dentro. A dire il vero, era colpa di Jimmy, e io penso che sia stato rimproverato per questo, a meno che Daddy non l'avesse fatto di proposito perché si annoiava e voleva vedere cosa sarebbe accaduto.

Comunque, Daddy mi aspettava nell'atrio, con il perfetto atteggiamento del patrigno di gotica memoria.

«Dammi le chiavi e vai subito in camera tua.»

Dovetti attendere nella mia assurda torre per un giorno intero, pensando a quello che mi sarebbe successo, masturbandomi all'idea della sua furia, rammaricandomi perché i giorni della velocità erano finiti.

Salì alle cinque del pomeriggio, mi legò e andò via di nuovo. Ero sdraiata sulla schiena, le caviglie appese con la seta alle aste del letto; c'erano quattro ganci a differenti livelli. Questa volta mi aveva legato le caviglie piuttosto in alto, così che avevo la fica sollevata e aperta. Le braccia erano allacciate alle altre due colonnine.

Dovevo fare la pipì, ma lui non tornò, perciò non sapevo come fare. Alla fine uscì e basta, sulle lenzuola e tutto il resto. Quindici minuti più tardi mi trovò in una macchia bagnata, mi slegò e mi prese sulle ginocchia per una violenta sculacciata.

A volte veniva nella mia stanza, leggeva per me, poi se ne andava e mi lasciava così eccitata che io non riuscivo a dormire per il desiderio di scopare.

Facevo sempre colazione con lui, in sala da pranzo,

le uova in zuppiere d'argento su un piatto che le teneva calde in un angolo della stanza, giornali. Io dovevo indossare lunghe camicie da notte bianche con le maniche a sbuffo e le balze, oppure pigiami baby-doll. Me li comprava nel reparto per teenager di eleganti grandi magazzini. Ricordo che aveva una carta di Harrods, cosa che trovavo affascinante. Io di Harrods sapevo solo che era un posto facile per rubacchiare.

Si sedeva a capotavola e io mi sistemavo accanto a lui con la vestaglia, molto castigata, bevevo il succo di frutta e cercavo di comportarmi bene. Immatura per la mia età? Forse. Chi sa come si dovrebbe essere a venticinque anni? Ero incline a rifiutare le responsabilità, a ricercare il piacere, e Daddy mi incoraggiava a farlo. Non avevo bisogno di lavorare e non desideravo farlo. Non volevo una carriera. Non volevo un bambino. Non aspiravo alle forme usuali di appagamento. Puntavo a soddisfare le mie fantasie, ed era un lavoro a tempo pieno, ne esploravo le possibilità e le trasformavo in avventure. Non mi sentivo limitata, bizzarra o atrofizzata. Mi sentivo libera.

Giocare andava bene a entrambi, anche se nessuno dei due pensava molto alle conseguenze. Io di certo non lo facevo, ma di rado pensavo alle conseguenze di qualunque cosa. Avevo preso tutte le droghe che mi erano state passate senza rivolgere il minimo pensiero ad altro che agli effetti immediati, e avrei affrontato qualunque scenario sadomaso con la medesima noncuranza patologica. Era una fortuna per me che Daddy fosse più moderato. Nei club si tagliuzzavano a vicenda, si ferivano e usavano speroni per le mucche, fruste e praticavano il fisting. Erano cose che accadevano davvero. Noi eravamo ingenui al confronto, anche se sofisticati quanto ai giochi mentali, i drammi psicosessuali, come da qualche tempo sono stati definiti.

A Daddy piaceva che fossi giovane. Non voleva un'adulta. Mi amava proprio in quel punto esatto dove c'erano impetuosità e speranza, e dove poteva esercitare il controllo in maniera convincente. Più ci avvicinavamo tra noi, più lui diveniva dominante, e io realizzavo quanto fosse nevrotico (che c'era paura in quell'atteggiamento). Di tanto in tanto ne scorgevo i tratti, nelle preoccupazioni o nel leggero panico che lo coglieva se Jimmy era in ritardo di due minuti, o se io avevo preso un ombrello dal portaombrelli e non l'avevo riposto, o se c'era una macchia sull'argenteria.

Per lui era indispensabile che fossi in un luogo preciso e mi modellava a immagine di ciò che desiderava, con la medesima sicurezza con cui uno scultore lavora la creta. Sapeva che da un certo punto di vista avevo bisogno di lui e che questo era essenziale, perché lo proteggeva dalla paura che potessi lasciarlo. Iniziammo entrambi a divenire le persone che avevamo creato l'una per l'altro. Io non mi curavo della vecchia me; ormai sapevo a malapena chi fossi stata. Divenni meno interessata e coinvolta dal mondo in cui ero vissuta prima di incontrarlo. I vecchi compagni di scuola; i cialtroni di Manhattan e le drag queen di Chelsea. Ero Stella, la birichina, indocile minorenne che avrebbe fatto qualsiasi cosa e sarebbe rimasta adolescente, e a volte anche più giovane se ci andava così.

Il sole delle giornate estive e i confini della tenuta mi proteggevano dalla realtà, ma di tanto in tanto, facendo shopping nella cittadina limitrofa, scoprivo di muovermi come la sua creazione senza bisogno di compiere alcuno sforzo consapevole per trasformarmi. Era come se il ruolo avesse preso il sopravvento sull'attrice, e quando questa usciva dal set era ancora una sedicenne che aveva bisogno di essere presa per mano, dipendente dall'autorità contro cui si ribellava, innamorata di chi la proteggeva e la controllava.

Io non compivo più alcuno sforzo per scegliere per me stessa, soprattutto perché Daddy prendeva automaticamente tutte le decisioni per me come le prendeva per se stesso. Mangiavo quello che mi diceva di mangiare, indossavo quello che mi diceva di indossare, trascorrevo le giornate come mi diceva di fare. Non mi importava. Mi piaceva. Mi piaceva essere al contempo con lui e del tutto persa; mi ero liberata dal fardello dell'impegno, dalla testa che in passato si poneva domande sconvenienti riguardo al significato del vuoto, alla direzione che pensavo di intraprendere, al dubbio se esistesse qualcosa che mi stesse a cuore e se non sarebbe stato bello essere morta, o quantomeno in una lunga vacanza priva di coscienza.

Facevo sesso con lui ogni volta che lo desiderava, perciò ero in un costante stato di eccitazione, il che mi rendeva agitata e ossessionata dal desiderio di averlo dentro di me. Le ore erano riempite dalle sue mani, dalla sua pelle, dal suo uccello e dal suo calore. Eravamo collegati. Lentamente, mentre i giorni estivi passavano, io notavo a malapena che mi lasciavo alle spalle alcuni aspetti della mia personalità e mi trasformavo in una sua creazione. Non ci feci neppure caso quando Daddy mi prese per mano e mi accompagnò dalla parrucchiera del posto. I miei capelli, ora lunghi e neri, erano diventati ingovernabili in campagna, non me ne prendevo cura e solo di tanto in tanto li raccoglievo con una fascia, perché Daddy me lo chiedeva. Venivano pettinati solo quando era Daddy a farlo, io non me lo sognavo neppure.

Daddy chiese alla donna di farmi un caschetto alla Louise Brooks, con la frangetta molto corta. Mi aveva trasformato nella folle monella con cui si divertiva a giocare.

C'erano dei giorni, comunque, che la ribelle tornava dal luogo in cui si nascondeva, e reclamava i propri diritti. La vecchia Stella estraeva l'arco, puntava la freccia e scoccava, inflessibile, impavida.

Verso la fine di agosto, trascorrevo la gran parte del tempo accanto alla piscina. I giorni erano caldi e la piscina bellissima, calda, azzurra e limpida. Era circondata da muri ricoperti da rampicanti profumati attorno ai quali svolazzavano le farfalle e le api.

Il casotto della piscina era un edificio art déco sottoposto a vincoli di tutela. C'erano archi rosa e statue di donne déco in costume da bagno. Tutti i mosaici e i pavimenti erano originali. C'erano le camere per cambiarsi, un bar con l'impianto stereo e morbidi teli di cotone. Era perfetto.

Ero sempre felice vicino all'acqua, e dentro. Passavo le ore ad ascoltare la musica dei Cult, dei Cure e dei Batcave al massimo volume consentito dallo stereo. Avrei fumato qualche sigaretta e bevuto lo champagne conservato in frigorifero, ma non osavo. Daddy mi avrebbe smascherato dall'alito e mi avrebbe rispedito in casa, o peggio. E io non volevo rimanere seduta sul letto, annoiata, a guardare fuori la giornata di sole e ad aspettare di essere frustata.

Daddy mi aveva comprato un soffice accappatoio per oziare. Approvava che stessi seduta accanto alla piscina, perché così sapeva dov'ero. Non mi permetteva di indossare il pezzo di sopra, gli piaceva che i seni fossero abbronzati, e lo diventarono presto. Avevo diversi bikini striminziti che da dietro svelavano metà del sedere e da davanti che lui mi aveva depilato. Uno, il mio preferito, era di cotone bianco, realizzato da Norma Kamali. Mi stava sempre meglio a mano a mano che il sole mi abbronzava la pelle e le gambe divenivano ogni giorno più scure. Daddy pretendeva che avessi le unghie smaltate alla perfezione e a volte adempiva lui stesso a questo compito, eseguendo una manicure da manuale. Amava i miei piedi e li baciava. Il caldo ci rendeva entrambi morbidi e ricettivi, e pronti a un'attività persino più intensa del solito.

A Daddy non piacevano i Cult o i Cure, e si irritava sempre per la loro presenza nel suo ambiente, ma io amavo danzare seminuda sulle note di *The Lovecats* e non c'era nient'altro da dire.

Durante un caldo pomeriggio stavo prendendo il sole in maniera assai confortevole, leggendo un annuario di *Jackie* da dietro i Ray-Ban, ascoltando le Sisters of Mercy. Daddy si presentò per nuotare, com'era sua abitudine, all'incirca verso le tre del pomeriggio. Indossava dei pantaloncini di cotone kaki e una camicia di cotone bianca, occhiali scuri e montatura di tartaruga. Era magro e glamour; avrebbe potuto trovarsi in un film dei Rat Pack negli anni Cinquanta, e non sarebbe stato fuori luogo. Gli guardai la bocca e la amai come sempre. Se ami la bocca, ami l'uomo, anche se temo che in parte dipenda anche da cosa esce da lì.

Era l'ultimo weekend d'agosto e la fine dell'estate si avvicinava. L'idea mi terrorizzava. Non volevo lasciare il mio Daddy, tornare a Londra e affrontare l'inverno.

«Spegni quella musica, per favore, Stella.»

Rimasi immobile quanto è possibile rimanerlo senza avere il rigor mortis. *Amphetamin Logic* risuonava a volume piuttosto alto, perciò era facile fingere che non l'avessi sentito.

Mi raggiunse e mi strattonò i piedi, perdetti l'equilibrio e mi cadde il libro sul lastricato.

«Ehi!»

«Fai quello che ti ho detto.»

«Non essere così orribile. Ti odio.»

«Se fai la maleducata, te ne torni in camera tua.»

«Vaffanculo.»

«Fai quello che ti ho detto. Imparerai le buone maniere, e imparerai a rispettarmi.»

«Per cosa ti dovrei rispettare?»

Non ero nel migliore stato d'animo possibile. Mi sentivo cupa e irritabile, ero pronta per ferirlo. Alzai lo sguardo e lo guardai da dietro le lenti scure, poi tornai al libro con una noncuranza che sapevo lo avrebbe fatto infuriare.

Indietreggiò. Sapevo che la mia ultima considerazione aveva toccato un nervo scoperto, un punto dove la bassa autostima si mescolava con la questione della ricchezza ereditata, uno status immeritato e iniquo. In fin dei conti sapeva di essere un ricco uomo d'affari che godeva di una disponibilità economica che non aveva guadagnato e che avrebbe giovato solo a lui. Non aveva molto di cui andare fiero, non aveva mai fatto fronte a nessuna delle cose che la vita tende a gettare addosso alle persone. Non aveva fatto molto. E di certo aveva fatto poco bene.

Dov'era la sua impronta? Non aveva figli, nessun lascito immortale. Possedeva venti tavoli rari e alcuni dipinti privi di interesse. Quando se ne sarebbe andato poche persone se ne sarebbero accorte o preoccupate. Quando gli avevo domandato cosa ci fosse da rispettare, il suo lato scuro sapeva che avevo ragione; anche se a volte mostravo di rispettarlo, non era che uno dei nostri sofisticati preliminari, e non una forma di apprezzamento sincero.

Si fece silenzioso, freddo, senza dire una parola tirò fuori il cazzo e mi pisciò addosso. Non avevo realizzato cosa stesse facendo finché non fu troppo tardi, ero completamente ricoperta, stomaco, seni, cosce.

Saltai in piedi e gli sputai in faccia. Lui mi diede uno schiaffo, non forte, ma mi sentii ferita e mi si riempirono gli occhi di lacrime. Lo spinsi via, mi buttai in piscina e mi immersi. Non mi ero allontanata molto da lui quando lo sentii sopra di me, nudo, il cazzo duro e bagnato che mi premeva contro le gambe. Mi abbassò il bikini, e mi trascinò verso il lato meno profondo. Lottai, ma sapevo che non avrei vinto. Era come un polipo, mi circondava, le braccia, le gambe, sopraffaceva il mio corpo bagnato.

Mi spinse contro i gradini, nel punto in cui l'acqua era alta una decina di centimetri, si mise in piedi sopra di me, nudo, le gambe e il ventre sodi e abbronzati, l'erezione dura come roccia.

«Stai lì» urlò. «Non osare muoverti.»

Alcuni uomini legano le proprie "schiave" per mantenere il controllo di cui hanno bisogno. Qualche volta Daddy mi legava, ma di rado era necessario. La sua personalità era sufficiente. Non urlava quasi mai, per cui io, un po' spaventata, rimasi sdraiata nuda nell'acqua a guardarlo: un uomo alto e abbronzato con i capelli neri schiacciati su una fronte da lupo. Le mie labbra rasate sbucavano dall'acqua blu, lisce e rosa, senza alcuna innocenza. Abbassò lo sguardo e sorrise. Poi iniziò a masturbarsi, dapprima lentamente, con gesti crudeli e autoindulgenti, la mano lungo l'asta, solo lui e il suo cazzo e una ragazzina cattiva, un oggetto, adagiata sotto di lui. Avrei potuto essere chiunque? Aveva importanza che fossi io? Sapeva che ero io o la sua testa si era arresa al principio del piacere, alla compulsione dell'orgasmo?

Diede colpi all'asta finché non mi venne addosso, grandi fiotti di sborra, come nei film porno, sulle tette, sulla pancia, sulle cosce, sulle labbra.

Soddisfatto, mi voltò le spalle, si immerse di nuovo nella piscina, si issò sul bordo dal lato più profondo e camminò nudo verso casa senza voltarsi.

Io giacevo lì, respiravo a fatica, il seme addosso, le onde sollevate dal suo tuffo che mi lambivano le gambe. Mi infilai le dita dentro e le lasciai lì mentre il sole asciugava il succo bianco dalla mia pelle e io cominciavo a profumare di mandorle e sale.

6

1985-86

Erano tre anni che uscivo con Daddy quando scoprii che era bisessuale. Dapprincipio fu uno shock, sebbene con un po' di buonsenso lo avrei potuto intuire. Non è che me lo tenesse nascosto, piuttosto eravamo talmente coinvolti tra noi che le altre opzioni non erano mai state contemplate. Poi uno dei suoi amanti maschi si presentò con una valigia dozzinale e il mondo si incupì. Io volevo il mio Daddy tutto per me, ma ecco che c'era questo giovane: bello e bisognoso, il fratello che non avevo mai avuto e con cui non volevo entrare in competizione per il padre che non avevo mai avuto e che invece volevo.

Ci presentò nel salotto della casa di Cheyne Walk. «Stella, Mandy; Mandy, Stella.»

Ricordo che quella sera portavo molto eyeliner, e il più meraviglioso dei vestitini vintage di Quant. Non servirono a nulla.

Non rimango spesso senza parole, ma quella volta fissai torva l'arrivista e non dissi niente. Era piccolo, abbronzato e luminoso. Indossava una maglietta di lycra arancione senza maniche e una bandana sui capelli neri lunghi fino alle spalle. I jeans erano stati strappati con cura e all'altezza del cavallo il tessuto era slabbrato e sbiadito per la pressione. Portava abbastanza dopobarba da abbattere una mucca. Il volto era femminile e petulante, ma il sorriso radioso e infantile. Riconoscevo che Mandy possedeva quel genere di charme che può essere trasformato in una dote, ma avrei voluto prenderlo a pugni in faccia.

Era venezuelano.

Ballava la salsa.

Era un demonio.

Mandy e io ci squadrammo dalla testa ai piedi, mentre Daddy non notava nient'altro che il nuovo ragazzo. Era come se io non fossi nella stanza. Ero invisibile all'occhio umano.

«Com'è Caracas?» domandai.

«Una fogna» rispose Mandy.

Aveva occhi freddi, castano chiaro, che promettevano furia selvaggia. Avevo visto quell'espressione sul volto di altre regine e sapevo che se decidevano di esplodere, esplodevano. C'era una megera nella tenuta di mia nonna che aveva l'abitudine di parlare di energia, potere e magia, e diceva sempre: «Tu hai dei poteri, cara, servitene con cautela». Suggeriva anche di usare la birra per i capelli, che è una pessima idea, e avrei dovuto immaginarlo guardando i suoi, che erano sottili, grigio topo e le si rizzavano in testa quando stava per giungere un tuono. L'incontro tra la mia solitudine di bambina e i suoi consigli da strega sull'invisibile mi resero più consapevole riguardo a cose come le coincidenze, l'atmosfera e il potere del sesso. Io avevo un acuto senso del pericolo e una salutare sfiducia. In quel momento tutto ciò mi venne in soccorso.

Realizzai subito che Mandy era una noia, ma c'era di peggio, per me era una genuina minaccia. Rappresentava un pericolo non solo perché intendeva portarmi via Daddy, ma anche perché disponeva del potere per farlo. Non si preoccupava neppure di essere discreto o astuto; aveva fede nella propria bellezza, nella loro storia passata e in una qualche debolezza di Daddy che io non avevo scorto fino ad allora e che adesso mi sgomentava.

Il giorno dell'arrivo di Mandy, Jimmy ci portò in un ristorante sulla King's Road. Il locale si definiva bistrot. Io mi sedetti sul sedile anteriore per la prima volta in vita mia, fumavo furiosa le sigarette di Jimmy e ordivo piani oscuri nei quali Mandy soffriva e io trionfavo, e uno di noi – non io – finiva ad assomigliare a un bolo di carne trita. Mandy, intanto, era seduto sul sedile posteriore e parlava in spagnolo con Daddy, e peggio, molto peggio, Daddy gli rispondeva fluentemente.

Iniziai a rammaricarmi di aver studiato tedesco a scuola, cosa che tra l'altro avevo deciso solo per infastidire mia nonna e in questo modo ricordarle che ero viva. Era una semplice astuzia, che applicavo con regolarità ma sempre senza risultati. La nonnina, cieca di fronte a chiunque non fosse lei, era una narcisista consumata. È probabile che fosse anche sociopatica. È un miracolo che io sia venuta fuori così bene. La sua logica, come penso di aver già spiegato, non rientrava nell'ambito delle normali percezioni. Nella sua mente una persona che imparava il tedesco stava seguendo un addestramento per gestire Dachau. Io cercai di inserire Otto Dix e Günter Grass nel discorso. Le mostrai dei quadri e le spiegai l'Espressionismo, ma ero sola nella mia visione. Lei si limitava ad aggirarsi per la casa eseguendo il passo dell'oca con le sue gambette sottili. Poi una volta mentre lo faceva cadde dalle scale, perciò per un po' ci diede un taglio. Tutore alla caviglia, stampella in una mano e gin e qualcosa nell'altra.

Comunque, il tedesco non mi sarebbe stato di nessun aiuto durante questa particolare scena dell'orrore. Mandy e Daddy si parlavano in spagnolo e Daddy cominciava a tramutarsi in una persona che io non conoscevo. Ero ferita e confusa.

Mandy mangiò come se fosse la sua ultima cena. Ci furono un sacco di pulitine teatrali delle labbra con un tovagliolo bianco inamidato, che aveva dato inizio alla serata nella forma (appropriata) della maschera di Torquemada.

Sapevo che Mandy era una "ragazza di strada". "Tu, amico mio" pensai tra me, "eri un bambino che moriva di fame, ma molto bello. Hai sempre scopato gli uomini per denaro. Mi domando se tu sia consapevole che non avrai la possibilità di farlo per sempre. Mi domando se il mio Daddy sia il tuo ultimo bersaglio. Forse speri che possa sposarti e garantirti la sicurezza che tu non sarai mai in grado di procurarti da solo."

«*El vino, es muy rico!*» ripeté diverse volte nel corso delle quattro portate. Rimandò indietro uno dei tre bicchieri per farlo lavare e si esaminò specchiandosi, senza vergogna, nel coltello, atteggiando le labbra in una smorfia mentre lo faceva.

Io risi forte.

Mandy mi rivolse un'occhiata torva.

Daddy mi guardò come se fossi un'estranea che si era seduta con loro perché il ristorante era pieno. «Cosa c'è di tanto divertente?»

«Niente.» Lo fissai con furia cocente, ma lui non se ne avvide.

L'istinto, allerta per il pericolo, mi aveva tolto l'appetito, perché potessi preparare il corpo alla lotta. Non avevo fame. Pensavo che non avrei mai più avuto fame.

Daddy guardava Mandy con occhi sfacciatamente colmi d'amore. Non potevo crederci. Avevo goduto per tre anni della sua attenzione incontrastata e ora, senza alcun preavviso, stavo per essere abbandonata. Guardavo il treno mentre lasciava la stazione. Combattere o fuggire? Combattere. Qualcuno sarebbe stato gettato fuori da questo inferno di nido, e non sarei stata io. La rivalità tra fratelli si era insinuata nella mia psiche.

Andai alla toilette, mi tolsi le mutande e le infilai nella borsetta. Il vestito – uno scamiciato di lana nera con dei bottoni bianchi davanti e una cara piccola piega di lato – era corto, corto come si usava negli anni Sessanta. Non perdeva tempo. L'orlo era venti centimetri sotto la vita – non corto come un gonnellino da tennis, ma avrebbe potuto essere una casacca. Quando mi piegavo in avanti ecco cosa si vedeva: due natiche tonde, bianche e lisce, l'orifizio scuro del culo, la sommità delle cosce, che erano abbronzate e nere, e lo scorcio rosa delle labbra di una passera rasata. Indossavo stivali di pelle nera alti fino alle ginocchia, con la punta arrotondata e sette centimetri di tacco. Sapevo quel che facevo. Certo che lo sapevo. Si trattava di una semplice presentazione animale – il sedere del babbuino – il segno primigenio di disponibilità.

Tornai elegante nel salone del ristorante. Daddy mi rivolse un sorriso vago, come se avesse lasciato gli occhiali a casa.

«Ops.» Rovesciai rumorosamente il contenuto della borsetta sul pavimento: rossetto, soldi, mutandine, Smarties, agendina, chiavi, una mela, una spazzola Mason and Pearson, sei paia di occhiali da sole, un libro di James Hunt. Tutto per terra.

Bene.

Fu necessario che qualcuno si mettesse a quattro zampe e raccogliesse ogni cosa, con il culo sconciamente scoperto, senza le mutande e il vestito sollevato fino alla schiena.

Daddy, riemergendo da quel coma irritante, si chinò, raccolse la spazzola e me la porse con uno sguardo significativo, che subito mi fece bagnare sotto il monte di Venere. «Comportati bene. E vai a rimetterti le mutande, subito.»

Lo ignorai. Cominciavo davvero a divertirmi. Rimasi a quattro zampe, spinsi il sedere all'insù e gattonai sul pavimento del ristorante, recuperando adagio i miei beni. Alcuni oggetti erano rotolati piuttosto lontano, vale a dire che dovetti scivolare sotto le tovaglie di altri avventori e recuperarle in mezzo a una foresta di caviglie, scarpe sportive e Gucci. Trovai altre cose nell'operazione, una banconota da cinque sterline e un portachiavi a forma di palla da golf.

Tenevo gli occhi bassi, perciò potevo solo intuire l'effetto che la mia performance sortiva. Immaginavo che il mio sedere fosse benaccetto e che mi sarei alzata di fronte a una standing ovation da parte di tutto il ristorante.

Approdando, finalmente, al tavolo accanto al nostro, per recuperare l'ultimo oggetto, mi trovai con il naso contro una mano che reggeva le mutandine. «Ecco» disse una voce. «Immagino che queste siano sue.»

Mi alzai, con i capelli sul viso, le ginocchia impolverate, leggermente arrossata in volto, e vidi un uomo sui venticinque anni. Mi tirai il vestito sulle cosce, gesto piuttosto inutile date le circostanze. «Può tenerle se lo desidera» dissi.

«Obbligato» disse, e le infilò in tasca.

Mi sistemai sulla sedia al nostro tavolo e fui lieta di notare che tutti gli uomini nella stanza mi osservavano, chi palesemente, chi di sottecchi.

Tutti tranne uno.

Lui guardava un viso abbronzato e gli domandava se gradisse un bicchiere di vino da dessert.

Posai la mano sul grembo di Daddy. Lo aveva duro. Molto duro. Sentivo la carne ruvida sotto le dita, la radice calda, pronta ed eretta. Ma non era per me. Non mi schiaffeggiò la mano per mandarmi via, la scostò con decisione e me la posò sulla coscia.

Non capii più nulla. Un avvocato la descriverebbe come una follia momentanea.

Arrivò il carrello dei dolci, carico con una piramide di profiterole, svariate torte, gâteau, un'insalatiera di vetro colma di frutta fluttuante. Daddy non mangiava mai il pudding – gli piacevano il porto e il formaggio Stilton – ma io lo prendevo sempre. A dire il vero io non avrei mangiato altro che pudding. E quando ero sola divoravo gelato e torta. Mandy era come me, un mangiatore di zucchero e una sgualdrina. Dunque avevamo qualcosa in comune.

Indicò il gâteau Black Forest, che si trova spesso nei bistrot vecchio stile. Era multistrato e decorato con riccioli di panna montata e cioccolato. Mi sembrava di ricordare che anche la marmellata c'entrasse qualcosa.

Il vino da dessert venne versato in uno dei bicchieri

che componevano il grappolo davanti a noi. Mandy si infilò il tovagliolo nel colletto della maglietta bianca aderente, puntò la forchetta dall'alto per scavare nella montagna zuccherina della sua torta di cioccolato.

Io mi alzai in piedi e tirai il lembo della tovaglia con tutta la forza possibile. Non sapevo cosa sarebbe successo, ma ero sicura che avrei prodotto un rumore e un caos gratificanti.

Così fu.

Bicchieri, piatti, candele, posacenere, posate, oliere, tutto volò per aria e andò a sbattere a terra con una grande cacofonia di vetri infranti e terrificante clangore.

La vendetta è un piatto che si serve freddo, e in grembo.

La torta al cioccolato di Mandy saltò per aria e ricadde a faccia in giù sui jeans bianchi aderenti, così che sembrava che avesse avuto un terribile incidente, uno di quelli con cui hanno a che fare i poliziotti che pattugliano le strade dopo la chiusura dei pub.

Daddy si beccò un bicchiere di porto sull'inguine.

Saltò in piedi. «Cristo, Stella.»

Lasciai il party.

Chissà se era davvero la cosa giusta da fare, ma a chi importa? Mi sentivo molto meglio. Mi sentivo felice. Mi sentivo eccitata. Trascorsi molte ore a ripassare il film dell'accaduto e mi godetti ogni secondo. Ci ripenso ancora come a uno dei momenti più gradevoli, un picco nella mia carriera, se preferite.

L'uomo seduto al tavolo accanto mi seguì in strada. «Sta bene?»

Era magro e ardente. Ernest Hemingway. I capelli

erano stati influenzati dagli Spandau Ballet, portava un lungo ciuffo scuro. Aveva gli occhi truccati, smalto verde alle unghie e pantaloni di pelle nera. Era alto, pallido e nient'affatto male. E aveva anche la mia età, cosa che non sperimentavo da diversi mesi, visto che mi ero concessa di rimanere confinata nel mondo di Daddy. Ma ero consapevole che là fuori da qualche parte i miei coetanei combinassero qualcosa. Li vedevo che mi sbirciavano dalle pagine delle riviste. Gli uomini erano tutti dandy, scompigliati e truccati; le donne, come del resto le star femminili, erano più fiacche sia nell'aspetto sia nelle canzoni.

«Sono stata meglio» risposi, alzando lo sguardo su di lui.

«Ti andrebbe un drink?»

Io volevo che Daddy mi facesse inginocchiare accanto al suo letto. Volevo che tirasse fuori il suo uccello rigido e me lo ficcasse dove preferiva. Volevo che mi baciasse il collo per tutta la notte. Ma avrebbe fatto queste cose con Mandy. Un uomo di nome Mandy. Un arrogante effeminato sarebbe stato dove avrei dovuto essere io.

«Va bene.»

«Io sono Stephen.»

La verità è che non mi sarei mai ricordata il nome se non avessi appuntato il dettaglio sul mio diario. Ho ancora una polaroid, una delle molte che lui scattò quella notte nel suo appartamento. Realizzò una serie di istantanee degli stivali e delle gambe. Era un designer grafico.

Stephen aveva un appartamento in Ladbroke Grove, che, a quei tempi, era in prima linea e vi abitavano solo quelli che non erano preoccupati all'idea di essere pugnalati a morte: lui era molto alto, camminava rapido, indossava una cappa di lana svolazzante con una grande fibbia attorno al collo e portava un bastone da passeggio con un teschio d'argento. Un aggressore avrebbe dovuto essere o molto coraggioso o molto fatto per affrontarlo. Condivideva la sistemazione con un uomo che, quando arrivammo in salotto, era sdraiato a faccia in giù sul sofà e cercava di abbassare la cerniera di un abito da ballo vintage di Balenciaga. «Sono incastrato!» urlò. «Tiratemi fuori da questo coso!»

Era designer grafico anche lui. Tra le altre cose. Stephen gli abbassò la zip. L'uomo raccolse la nube di taffettà e rete e andò a letto dicendo di essere esausto e che tutto era un incubo. Sapevo cosa intendeva.

Il corpo di Stephen era lungo e bianco e aveva un cazzo di taglia media. Era una delusione dopo Daddy, ma fui cortese, come è mia abitudine, sapevo che la gentilezza in queste occasioni è il modo migliore per mantenere l'erezione.

C'era una foto di Adam Ant sopra il letto e *Bela Lugosi is dead* sul giradischi. Era un'epoca in cui le luci fatate e le immagini religiose rappresentavano il *leit motif* della vita dei bohémien. Stephen e il suo coinquilino erano maestri nel trovare cose, i maghi di Portobello Road, perciò era pieno di oggetti kitsch, diavoli e alcuni assurdi oggetti d'arte realizzati dai loro amici. Una collana, grande e rumorosa, era stata assemblata con dei portauovo e dei troll. Qualcuno aveva composto un collage con gli annunci delle squillo. C'era un poster di *Scorpio Rising* di Kenneth Anger. E dappertutto si trovavano pile di polaroid, libri di Aleister Crowley e volantini sulla televisione psichica; nella libreria impolverata si vedeva molto Nietzsche. Sempre. Nietzsche. Letto male e capito peggio.

Riflettei tra me e me che non aveva senso cercare di codificare il caos; i filosofi ci avevano provato e si erano suicidati quando avevano scoperto che si trattava di una cosa insensata.

Ero un po' ubriaca, o alticcia, come diceva la nonna quando la polizia la riportava a casa. Cercai di non pensare al caos, che in quel momento erano Daddy e Mandy.

Stephen versò del vino rosso in due calici d'argento e accese una trentina di candele da chiesa, così che un drammatico chiaroscuro striava le pareti rosse, proiettava la luce su una lontra impagliata e rendeva i suoi occhi diabolici, come gli uccelli nel motel dei Bates. I Bauhaus lasciarono il posto alla vuota angoscia esistenziale di Andrew Eldritch: «Il dolore ha un aspetto grandioso sulle altre persone, questo è il motivo per cui stanno lì». Stephen sembrava concordare. Si stava svestendo. Languidamente liberava il corpo bianco dal sudario di pelle nera. Mi aspettavo quasi che un corvo volasse via da una delle pieghe scure.

In camera da letto c'erano immagini di Gesù. I visi rosa rilucevano del tormento barocco della crocifissione mentre le fiamme delle candele tremolavano sui rossi e sui neri e sullo specchio a parete. Si sdraiò sul letto. C'era una testiera di ferro battuto alla quale erano legati giocattoli mutilati, fiori secchi e pizzi neri. Eldritch divenne un canto gregoriano, poi Siouxsie Sioux e poi di nuovo Marian (qualche lugubre becchino dark doveva aver mixato quella cassetta per lui). Il cazzo si ergeva come un bastone bianco nel mezzo della spuma scura della zona pelvica.

Mi sbottonai il miniabito nero. Mi scivolò sui seni, lungo le cosce, in una macchia sul pavimento. Ero in piedi davanti a lui, nuda tranne gli stivali neri lucidi. Avevo il trucco sbavato e i capelli arruffati. C'erano dei lividi sulla parte alta delle braccia, dove Daddy mi aveva pizzicato. Penso che mi fossi rifiutata di baciarlo. Mi piace essere pizzicata, sebbene non sia la sensazione che prediligo nello spettro dei dolori.

Giocherellai con le tette e mi leccai le labbra. Ero pronta ad andare ovunque.

Stephen mi guardava con ammirazione. Dopotutto era un designer. «Sei fantastica» disse. «Non avevo mai incontrato una ragazza che si rade il cespuglio completamente. È grandioso. Lo amo. È così strano!»

Muovendosi lentamente dal letto, si mise in piedi di fronte a me, così che ci trovammo pube contro pube, la sua cartilagine contro le mie piccole labbra lisce. Mi succhiò e mordicchiò i capezzoli. Poi, senza preavviso, si lasciò cadere sulle ginocchia e mi baciò gli stivali.

«Puoi schiaffeggiarmi se vuoi» disse.

Lo schiaffeggiai.

Lo schiaffeggiai come se fosse Daddy che mi aveva abbandonato. Si sarebbe potuto sentire lo schianto nel quartiere vicino. La guancia pallida si arrossò, una macchia rossa. Gli occhi blu scuro scintillarono. Alzò lo sguardo su di me. Era nudo e vulnerabile. Non sapevo quanto avrebbe potuto sopportare, quanto avrebbe voluto sopportare. Entrai nel territorio in cui è richiesta la crudeltà sessuale e chi la impartisce si assume la responsabilità di inoltrarsi in una zona di sé pericolosa. Per incontrare i suoi bisogni e dargli piacere, dovevo controllare il flusso e il riflusso dello sdoppiamento.

Significava rimanere al limite di una crudeltà primordiale la cui esistenza nell'ambito delle pulsioni animali viene spiegata di solito con i bisogni ancestrali dell'istinto di sopravvivenza. Significava giocare con l'affermazione di Mirbeau, nel *Il Giardino delle torture*, secondo cui tutto, alla fine, riguarda l'omicidio: «Attenuiamo la violenza fisica offrendole uno sfogo legalizzato: l'industria, il commercio coloniale, la guerra, la caccia o l'antisemitismo, perché è pericoloso abbandonarsi a essa senza moderazione e al di fuori della legge».

Più un uomo si prostra, più mi viene voglia di ucciderlo. Rischio di essere sopraffatta dalla spinta impellente a sgozzare, strangolare e andarmene. Gli uomini con attitudini masochistiche tendono a desiderare la medesima gamma di stimoli, e questo è il motivo per cui, se dai un'occhiata al mercato, i prodotti in vendita sono sempre gli stessi. C'è un'universalità di simboli, fattori scatenanti e archetipi. La sessualità umana, come il blues, ha poche note e molte intonazioni. Lattice, gomma, pelliccia, tacchi, reggiseni per allattamento, nylon, fumetti erotici, fruste, donne amazzoni, uomini inermi, insegnanti, suore, infermiere, catene, prigioni, sbarre, attrezzatura medica, umiliazioni, scatologia, pipì. Una dominatrice professionista ha bisogno di conoscere solo tre linee di condotta.

Il remissivo vuole essere schiaffeggiato, frustato, legato e torturato sui capezzoli; non vuole (di solito) che gli spacchi un bicchiere in faccia o gli infili una lama nel didietro. Il sadismo non è il mio *métier*; non mi piace lo stress che provoca negli spaventosi recessi della psiche, nell'*es* se preferite, dove si annida l'istinto di sopravvivenza e tutti i pensieri che sono fuggiti all'immoralità. Non ne sono eccitata. Ma mi esalta l'idea della vendetta universale. Quando un uomo chiede di essere preso a calci, o flagellato, o ferito, in nome del proprio piacere, io mi scopro a vendicare gli errori della storia. È facile per me vedere il corpo nudo che ho davanti come il simbolo di un genere, e altrettanto facile biasimare quel genere per tutti i mali del mondo. Penso ai roghi. Penso al Rwanda. Penso agli Stalag. Penso a Fred West. Io non li capisco. Non capisco come possano essere criminali, artisti, santi, dittatori e patiti di calcio.

Daddy provava tutto questo quando era con me? Doveva perdere il rispetto nei miei confronti per compiacermi? Quando rinnegavo le responsabilità e rimanevo giovane, lui mi perdeva di vista? Quando mi percuoteva, era come se mi stesse uccidendo? I nostri giochi erigevano delle barriere tra noi ed era questa la ragione per cui trovava così facile allontanarsi da me?

Forse mi ero nascosta tanto bene che la donna era scomparsa lasciando solo l'ombra di un personaggio senza sostanza. Daddy non pensava a me come al suo prezioso piccolo tesoro, ma come a un giocattolo sessuale, una di facile consumo. Di certo non aveva idea della potenza del legame emotivo che aveva contribuito a intessere tra noi. Il suo comportamento era straordinario, crudele e imperdonabile. Avevo voglia di percuotere Stephen, ma volevo colpire Daddy e Mandy, soprattutto se questo non avrebbe procurato loro piacere. Stephen lasciò intendere che una frustata non gli sarebbe dispiaciuta, e che si sentiva molto lontano dal ricevere a sufficienza queste particolari attenzioni nella propria vita, nonostante frequentasse un sottobosco di emarginati sottoculturali in guanti bianchi e viso truccato, gente che all'apparenza aveva ricevuto un'istruzione superiore ed era dotata di un pensiero radicale.

Non disprezzavo Stephen, ma neppure mi interessava nulla di lui. Sapevo cosa lo avrebbe eccitato ed ero in grado di soddisfare la sua idea di preliminari, ma ciò non dipendeva né dalla generosità né dall'affetto, era un freddo esperimento per stabilire i miei limiti, per misurare fin dove sarei potuta arrivare, cosa avrei potuto fare, e se avessi la perizia per farlo. Davvero spaventoso. Mi vergogno un po' se ci penso. Non andrò in paradiso, ma del resto non l'ho mai realmente desiderato, trattandosi di un night-club pieno di ragazzi in calzoncini dorati.

Stephen, come me, perseguiva il proprio piacere individuale. Era stato lui a inginocchiarsi davanti a me e a porgermi una cintura di pelle che aveva un teschio come fibbia. Il cazzo pulsava, tutto il corpo desiderava disperatamente la sensazione delle scudisciate. Abbassai lo sguardo su di lui e gli sferrai un calcio che lo scaraventò sul pavimento, dove lui giacette inerme. Avevo deciso di rinunciare alla cintura di pelle perché mi mancava la sicurezza necessaria. Non avevo esperienza. Queste cose richiedono una certa perizia, dopotutto, e io ho le mani piccole. Rischiavo di trasformare uno squisito interludio in un violento fiasco.

«Hai una corda?» domandai.

«No. Ci sono delle sciarpe laggiù.»

«Prendile.»

Mi portò un recipiente con disegnato sopra Elvis e me lo porse. Ne estrassi una sciarpa vintage di Dior e gli legai le mani dietro la schiena. «Sdraiati a faccia in giù sul letto e non parlare a meno che non ti dica che puoi farlo.»

Fece ciò che gli avevo ordinato.

Gli piazzai un cuscino sotto la pancia, in modo che il

culo fosse sollevato e mi si offrisse come facile bersaglio. Lo guardai con un certo piacere. Io amo i sederi. Li amo e basta. Maschili o femminili. Adoro la forma arrotondata e la pelle liscia. Potrei restare a guardarli per un giorno intero.

Stephen stava in silenzio, probabilmente era tornato a un momento in cui lui era giovane e gli era stata impartita una punizione. Conoscevo quella tensione, certo, avevo aspettato Daddy molte volte. Sapevo che l'immaginazione comincia ad avere il sopravvento e il corpo si prepara, e che era pauroso ed eccitante.

Esplorai la stanza in cerca di uno strumento adeguato per la punizione e trovai sulla scrivania un righello di legno. Perfetto.

«Ti farà male» commentai.

Pregustava il piacere, mormorò e si contorse.

Io abbattei con forza il righello sulle chiappe nude.

Gli lasciò una linea rossa, e lui guaì.

Allungai una mano sotto il bacino e gli tastai il cazzo; era duro e si contraeva.

Eravamo sulla giusta strada.

Abbattei di nuovo il righello sul bersaglio bianco, lasciando un'altra striatura rossa.

Poi sei volte ancora, ogni volta un po' più forte. Strillò, urlò e si dimenò.

Mi domandai se si sarebbe messo a piangere. Speravo di no. Non avevo mai visto un uomo piangere e non desideravo cominciare adesso.

Decisi che non ne avesse avuto abbastanza e abbattei il righello altre sei volte. Sapevo che a questo punto doveva essere molto doloroso, poiché Daddy me lo aveva fatto diverse volte. Non con altrettanto vigore, non credo, anche se non ero sicura della mia forza in quello scenario. Potevo solo giudicare gli effetti dal colore livido della carne e dalle reazioni dell'uomo.

Mi fermai per un minuto, tastai la carne rovente. Infilai la mano sotto il culo, in mezzo, tra la radice soffice delle palle e il perineo. Lo massaggiai delicatamente, strofinando il centro del suo piacere, dicendogli che ero lieta che fosse duro e che mi aspettavo che così restasse perché ora avrebbe dovuto darmi piacere. Poi gli infilai con decisione il dito nel retto.

«No, ti prego» implorò. «Così vengo.»

«Meglio per te che tu non lo faccia.»

Poi lo sculacciai perché ne avevo voglia. Lo schiaffeggiai con forza sulla sommità delle natiche fiammeggianti, e lui sopportò una seconda ondata di dolore, perso ormai nelle endorfine, nella confusione mentale e nel piacere.

«Alzati» lo istruii. «Alzati.»

Gli slegai i polsi e lo feci sdraiare sulla schiena.

Mi sedetti a cavalcioni su di lui.

«Stella...»

«Stai zitto.» Gli misi la mano sulla bocca.

Lentamente mi alzavo e mi abbassavo, le labbra bagnate baciavano la superficie della sua asta, carezzavano ogni vena violacea e pulsante, finché mi accorsi che gocciolava.

«Non osare venire» dissi, schiaffeggiandolo in volto.

«Voglio. Voglio.»

Mi scostai da lui.

Urlò. Poi disse: «No, per favore, per favore, vai avanti. Voglio essere dentro di te».

«Mi aspetterai» dissi. «E se non lo farai ti picchierò ancora.»

Lo schiaffeggiai e gli sputai in faccia.

Scivolai di nuovo su di lui, lo ricevetti lentamente. Mi presi il mio tempo, e questo gli giovò. Lo presi a fondo dentro di me, lo sentivo tutto, finché qualche ricettore interno non venne attivato e un sottile spasmo mi scosse, emozionante in maniera sorprendente. Mi prese alla sprovvista, mentre un'ondata di gratitudine e amore mi inondava, gratitudine e amore per un bel cazzo duro, non per l'uomo che non conoscevo neppure. Erano due cose diverse, cose che non si possono distinguere in preda agli spasmi, in quel momento pericoloso in cui si è sopraffatti. C'è un fugace istante, rischioso, durante il quale si pensa: "È quello giusto, lo voglio dentro di me per il resto della vita. Non può lasciarmi. Se lo farà non sarò nessuno. Entrerò nel vuoto e morirò".

Mi sollevai di scatto da lui e mentre lo facevo esplose sul proprio stomaco. Io lo guardai per cortesia, sapevo quanto gli uomini fossero orgogliosi del proprio seme. Dio sa che ne hanno sparso in giro parecchio, a giudicare dalle cifre della popolazione mondiale.

Lo slegai. Cercò di abbracciarmi. Gli concessi un bacio sulle labbra.

«È stato favoloso» disse. «Grazie.»

«Non c'è di che» risposi cerimoniosa.

«Per favore, ti posso baciare le tette?»

«No» dissi, e mi infilai il vestito.

Lo lasciai che si contorceva per cercare di ispezionare nello specchio a parete le striature rosse sul sedere. Il cazzo era semitumescente. Avrei potuto prenderlo di nuovo se avessi voluto, ma non volevo. Io volevo Daddy.

Dopo quella volta, Stephen divenne il mio schiavo. Mi telefonava di continuo e mi si offriva. Andavamo in giro in auto. Aveva una vecchia Rover bordeaux con dei crocifissi che pendevano dallo specchietto retrovisore. Scopavamo un po', ridevamo abbastanza. Mi veniva a prendere dove e quando glielo chiedevo e mi lasciava dove e quando glielo chiedevo. Una volta arrivò fino a Bermondsey per recuperarmi. Non domandatemi cosa ci facessi laggiù, non lo so. Non domandatemi dove sia Bermondsey, non lo so. Stephen, come molti uomini, era in grado leggere la carta stradale. Era anche un lavoratore autonomo, che è una cosa molto vicina alla disoccupazione. Aveva tempo a disposizione, tempo che gradiva votare alle mie pretese. Lo aveva sempre duro, e anche questa è una dote degna di menzione.

Pensava di amarmi ed era molto bravo nei massaggi, ma la terribile verità era che, sebbene fosse acculturato e fondamentalmente gentile, era un po' noioso. Non aveva molte idee proprie. Comunque, era un eccellente chauffeur, un buon massaggiatore, una scopata soddisfacente, e a me non dispiaceva frustargli il culo.

Quel dark allampanato aveva liberato la diva che c'era in me. Divenni quasi la dominatrice, anche se avevo sempre l'impressione di aver indossato il soprabito sbagliato. Mi divertiva la sua lunga asta bianca con in fondo degli scintillanti pompon rosastri. A volte glieli stringevo con una corda, cosa che a lui piaceva e che io non avevo mai sperimentato prima. Non mi dispiaceva dargli una bella sculacciata, era un diversivo. Alla fine, però, io non volevo uno schiavo. Il ruolo della padrona mi annoiava. Ero sconsolata.

Io volevo un Daddy. Non lo dissi mai a Stephen, perché non sono maleducata. Comunque, lui era preso dai propri bisogni, mi vedeva come la padrona, la meravigliosa e onnipotente matrona delle sue fantasie. Non vedeva me, una ragazzina piccola che aveva perso il papà per la seconda volta nella vita. Mi percepiva come la figura che aveva inventato nel proprio presente. Non riconosceva il mio passato. Non gliene importava nulla di nessuno degli altri aspetti della mia personalità. Non lo interessava sapere cosa mi avesse costruito. Questo è il problema quando si gioca, suppongo. Nessuno sa chi sia veramente la persona che ha di fronte. Non è necessariamente una brutta cosa, ma è una cosa.

Io, essendo cresciuta con una folle volubile, sapevo come guardarmi dal pericolo. Ero coscienziosa nelle mie indagini e accurata nella visione periferica. Tendevo a conoscere le persone nel caso in cui avessi dovuto proteggere me stessa contro di loro. Sapevo che il padre di Stephen era un medico di Leeds, la madre un'insegnante, e che aveva una sorella di nome Stacey. Sapevo che aveva letto la gran parte dei classici.

Non ero in grado di comprendere se in lui il livello di autostima fosse molto elevato o molto basso. Mi pareva abbastanza stabile, ma fumava un sacco di marijuana. Mi adorava, il che era molto gratificante, e leniva il dolore dell'abbandono di Daddy.

Non sapevo perché fosse masochista, e neppure lui lo capiva. Diceva di essere portato per i pensieri cupi e di sentire il bisogno di tenerli lontani. Per questo, e per allentare il senso di colpa per aver lasciato i vecchi genitori a sbrigarsela da soli nella loro deprimente villetta bifamiliare mentre lui saltellava per Londra e se la spassava, gli serviva un luogo dove andare a nascondersi.

«Trovo difficile divertirmi» diceva, «nonostante non sia affatto religioso.»

Stephen mi suggerì di farmi un tatuaggio sulla fica e

io acconsentii. Mi disse che avrebbe voluto succhiarmi via il sangue non appena me lo fossi fatta. Disse che mi avrebbe massaggiato la passera con unguenti medicamentosi e si sarebbe preso cura del mio monte di Venere rasato finché il disegno non fosse guarito. Poi volle scattarmi delle foto, un mucchio di foto, a colori e in primo piano, aveva in mente di ingrandirle, farne dei poster ed esporle in un'assurda serie artistica.

Nel 1985 i tatuaggi non andavano di moda come oggi, erano ancora il simbolo degli emarginati. Li avevano alcuni musicisti punk, molti autolesionisti non diagnosticati, pazienti psichiatrici, marinai geriatrici, buzzurri di periferia, frequentatori del Santa Monica Boulevard e regine di Coleherne. Le persone normali non avevano cominciato a modificare il proprio corpo, perciò il tatuaggio aveva ancora il significato di affermare la propria identità.

Stephen, poiché era un vero masochista, aveva la schiena piena di omaggi al dio Pan. Sembrava la copertina di un album dei Blue Oyster Cult.

Mi recai in un bizzarro salone a Soho e scelsi un disegno, uno scorpioncino.

«Ci vorranno un paio d'ore» disse l'irsuto artigiano dietro il registratore di cassa. «Dove lo vuoi?»

«Sulla fica» dissi, guardandolo dall'alto.

Una lingua umida sbucò rosea sul fogliame della barba, e le dita inanellate giocherellarono sul bancone come se l'uomo si stesse esercitando al piano. Due occhi calmi mi guardarono senza battere ciglio dal mezzo di quel viso peloso. Pensai ad Animal del *Muppet Show*.

«Uhm. L'ho fatto a una spogliarellista l'anno scorso. Non dovrebbe essere un problema. Dovrai chiamare il taxi per tornare a casa, per un paio di giorni potrebbe non essere molto confortevole.»

Telefonai a Stephen. «Ho bisogno di te qui adesso.»

«Sì padrona.»

Stephen arrivò come Batman, con tanto di stridore di pneumatici e cofano rovente. Si scaraventò nel salone con un gesto teatrale.

«Va tutto bene?»

«Sì. Aspetta lì e non ti agitare.»

«Non posso guardare?»

«Per me va bene» disse il barbuto, e fece spallucce.

Mi tolsi la minigonna e le mutandine rosa pastello, ma mi lasciai le calze fino alle cosce e le scarpe con i tacchi a spillo, per la gioia di Stephen, dopotutto sono una persona gentile, persino rispettosa dei sentimenti altrui.

Mi misi sotto il tatuatore a gambe divaricate, come una sgualdrina, stravaccata sul divano e indicai la passera rasata.

«Lì» dissi, additando il punto appena sopra la linea dove mi sarebbero ricresciuti i peli pubici e che, con un certo genere di indumenti intimi, o con la parte inferiore del bikini, avrebbe potuto essere scoperto quando ne avevo voglia.

Per concedermi questo vezzo esibizionistico dovetti passare attraverso un'esperienza davvero sgradevole e dolorosa, resa ancora peggiore dal fatto che io, come molti masochisti, ho una soglia di resistenza al vero dolore fisico molto bassa. E dovevo fingere che andava tutto bene davanti a quei due uomini che mi fissavano.

Mi ritrovai con un segno rosso sopra il pube e nessuna traccia della creatura velenosa. Mi sentivo come se mi avessero bruciato la fica con una fiamma ossidrica. Diedi le banconote al tizio con un certo malanimo.

Stephen mi aiutò a salire in automobile ed emise suoni elogiativi per tutta la strada fino a Chelsea. A quel punto ero stracolma di endorfine, la fica era accesa di dolore e bisogno, la testa stordita dalla soddisfazione per il mio gesto. Una volta giunti nell'appartamento, mi misi a quattro zampe sul letto e ordinai a Stephen di prendermi piano da dietro.

Mi piaceva il mio scorpione. Quando emerse dalla crosta era piccolo e nitido, molto curato nei dettagli. Rappresentava la liberazione da Daddy, e una vendetta su di lui. Era un simbolo inamovibile della mia capacità di agire senza il suo permesso. Pregustavo il pensiero di dirgli cosa avevo fatto e di osservare la sua reazione. Sarebbe stato furioso.

Lui riteneva che modificare il proprio corpo fosse un segno di immaturità, un gesto di inutile esibizionismo, per i freak, i perdenti e le pop star, persone che non avevano ricevuto un'educazione formale e non comprendevano il latino.

Stephen conosceva i rudimenti della magia nera: possedeva alcuni libri di Genesis P-Orridge sulla materia e un pentacolo d'argento, che era stato caricato di energia da uno stregone a Glastonbury. Mi influenzò con le sue idee riguardo a questi poteri. Era convinto che il sesso magico funzionasse, anche se quando lo mettevo alle strette non era in grado di fornirmi alcuna prova che fosse vero. Non potevo resistere, dovevo sperimentare. Io proverei qualsiasi cosa, salvo le lumache. Mi infilava un dito dentro, faceva colare il mio succo su una candela nera e la poneva al centro del pentacolo. Mor-

morava formule magiche dei principi della Cabala mentre io rimanevo seduta lì con uno spinello, il cuore che mi batteva forte, la realtà obliqua, pregando con tutto il cuore perché il mio Daddy ritornasse da me.

Una volta che avevo fumato una canna di troppo, ebbi una visione paranoica nella quale Daddy tornava da me quando ero ormai una donna anziana; Baby Jane, solo la versione punk, con i capelli neri, le labbra porpora e l'inaridimento dell'età inciso nei tratti del viso contorti dalla frustrazione.

In maniera risoluta e passionale, mormoravo formule magiche al lato oscuro, imploravo una soluzione, mi masturbavo per Daddy, raggiungevo il climax al pensiero del suo ritorno, lo imploravo di tornare da me.

Alla fine telefonò.

«Dove sei stata? Sono settimane che cerco di mettermi in contatto con te.»

«Fatti gli affari tuoi.»

«Mi manca la mia ragazzina cattiva.»

«Non mi piaci più.»

«Sciocchezze. Ti voglio vedere. Ci vediamo da Fortnum's domani alle quattro e mezza.»

«E quell'altro... coso.»

«Saremo solo noi. Ci vediamo alle quattro e mezza.»

In passato avrebbe detto non arrivare in ritardo o saranno guai, ma non lo fece. Lo considerai un segno che non mi amava più.

Questo mi porta alla parola con la A.

Amore.

Quanto poco sapevo in proposito. Quanto poco conoscevo della sua incredibile complessità e dei suoi aspetti insondabili. Non avevo idea che vi fosse coinvolto il perdono, o che potesse contenere l'odio, insieme alla noia, al compromesso, all'irritazione, alla delusione, ho già detto noia?

Io conoscevo l'amore solo come sesso e bisogno. Per me l'amore rappresentava la speranza indefinita di riempire vuoti impossibili da colmare. A ripensarci, ora, vent'anni più tardi, ho la stessa età che Daddy aveva all'epoca. Ho quasi cinquant'anni. Mi sorprende che non lo abbia fatto impazzire con i miei bisogni autoreferenziali, che nella mia idea erano importanti e significativi. Immagino che la teoria sia che ciascuno non ha che la propria realtà, e lui era abbastanza paziente e saggio da vedere i miei difetti e amarmi comunque.

Quanto poco si sa. Io pensavo di sapere tutto. Credevo di essere una donna sofisticata e in sintonia con le esigenze della modernità. Giocavo con il corpo e con la psiche come se fossero droghe leggere.

Drammaticità e intensità, positivo e negativo, alto e basso, queste erano le passioni, e le passioni erano l'amore. Io non mi annoiavo, e mi piace pensare di non essere noiosa.

Daddy non aveva paura della parola con la A e diceva spesso di amarmi, persino quando non eravamo a letto. Se imbavagli una ragazza e le frusti il culo, è importante amarla, o quantomeno dire che la ami. Non avrei potuto mettermi a quattro zampe per un uomo, lasciarmi sodomizzare e poi andarmene senza quell'affetto e quelle cure che in quel momento della mia vita pensavo fossero amore.

Ora mi aveva tradito ed era arrivato l'odio; cordoglio, amore, shock e odio, tutto insieme, grazie all'uomo chiamato Mandy.

Kevin il parrucchiere mi disse che Mandy era l'abbreviazione di Mandrax, una sostanza ipnotica, ma credo che volesse essere gentile con me. Avrei voluto restituire quel dolore a Daddy, ma non sapevo come. Non conoscevo la natura del mio potere su di lui, e neppure sapevo di averne. Non conoscevo la verità della sua vulnerabilità; mi aveva mostrato solo le cure paterne, mai le crepe nell'armatura dell'uomo.

Sembrava sempre invulnerabile, in ottima salute, eretto nella statura e grande nel cazzo; era ricco, intelligente e sicuro di sé. Ma del resto io volevo che fosse queste cose, e potevano essere invenzioni della mia fantasia. Io potevo essere il risultato delle mie folli delusioni, e lui un malato di mente, da manicomio, con una predilezione particolare per le regine da discobar.

A me non importava. Lo volevo indietro. Era mio. Avevo bisogno di lui. Ero la sua ragazzina e non potevo vivere senza di lui. Ogni giorno in cui lui non c'era era un lungo giorno nel quale i minuti erano lì solo per essere respirati prima dell'ora del cocktail, vuoto di memoria e collasso.

Passai ventiquattro ore a prepararmi per la rappacificazione con Daddy. Davo per scontato che desiderasse incontrarmi per ricominciare a vedermi. Voleva che rientrassi nella sua vita, e la mia posizione avrebbe dovuto essere rinegoziata. Speravo che Mandy avesse fatto le valige e se ne fosse andato, ma ne dubitavo. Le prostitute di strada che hanno pescato una buona preda non la mollano finché non arriva la polizia.

Fino a che punto avrei potuto accettare la presenza di Mandy? Quanto avrei potuto mostrarmi accomodante per conquistare ciò di cui avevo bisogno, ciò che desideravo e amavo?

Mi preparai per Daddy.

Frangetta nera, grandi occhi, rossetto cremisi che a lui piaceva sbavare con la mano, lasciandomi una macchia rossa sulla guancia e sul mento. Pantaloni aderenti bianchi senza mutandine, così che il globo del sedere femminile potesse essere scorto chiaramente, rotondo e ansioso di ricevere. Scarpe di leopardo con i tacchi a spillo, sulle quali riuscivo a malapena a camminare, coordinate con una borsa vintage, tonda e con una maniglia sulla sommità. Una magliettina di cotone aderente eau de Nil che accentuava la minutezza delle spalle e l'esuberanza delle tette. Da ultimo mi avvolsi nella giacca di pelle di Stephen, sotto la quale mi sarei potuta nascondere e da dove avrei potuto ringhiare. Daddy avrebbe odiato la giacca di pelle, e io volevo che la odiasse. L'avrebbe trovata troppo grande e mascolina, e dove ero andata a pescarla, comunque? Indossare quella giacca era come portare al collo un cartello con scritto: «Vado a letto con un altro, mettitelo nella pipa e fumatelo».

I capelli? I capelli erano legati in due piccole codine scure.

7

1986

Fortnum's. Fortnum's, adorabile Fortnum's.

Vecchio stile, elegante e sereno. Potrei cantare una canzone su di te, ma mi tratterrò per esigenze narrative.

Oh Dio, eccolo lì dietro al menu. Camicia bianca immacolata, pantaloni scuri, scarpe sportive nere, zigomi, capelli neri che di tanto in tanto gli cadevano sulla fronte – in quella maniera che smentiva la sua età – e che, qualche volta, quando era teso, si doveva tirare indietro. Lo amavo. Mi faceva ancora battere il cuore. Mi faceva ancora bagnare. Mentre serpeggiavo tra i tavoli del Fountain cafè sentivo, tra le gambe, che mi stava succedendo proprio in quel momento. Quando mi sedetti, mi ero sciolta del tutto.

Aveva già ordinato, perciò non dovetti prendere nessuna decisione stressante. Sapeva che mi piacevano i tramezzini con i cetrioli e il milk-shake al cioccolato, e io sapevo che avrei dovuto mangiare prima i tramezzini. Quando arrivarono, decorati con un singolo rametto di crescione, mi rivolse uno sguardo significativo. Per fortuna non avevano la crosta ed erano piccoli e triangolari, perché avevo lo stomaco chiuso come una noce.

Sopraffatta, sbocconcellai il pane, tenevo gli occhi bassi. Non avevo alcuna esperienza di questo genere di cose, di conversazioni sincere e mature, e delle situazioni che mia nonna definiva «tutto quello». Non avevo il dono dell'introspezione. Impreparata e inarticolata com'ero, la mia unica forma di espressione era la sessualità. Parlavo attraverso il corpo. Non sapevo come elaborare i sentimenti; non possedevo né il linguaggio né la tecnica per farlo; avevo un'idea vaga di cosa fossero. Quando emergevano, con tutto il calore e la confusione, mi gettavano in uno stato di prostrazione. Mi paralizzavano, a meno che non fossi nuda e a letto. E in quel momento, ovviamente, non lo ero. Mi trovavo in una sala da tè edificata nel 1800 e qualcosa, circondata dai camerieri più eleganti di Londra.

Perciò eccoci, giovane e vecchio. Lo conoscevo a malapena. Avevo perso sicurezza. Non sapevo cosa dire.

Parlò lui. Uomini. Gli piace, eh? Adorano parlare. Alcuni di loro non prendono mai fiato.

Ero contenta che lo avesse fatto. Io non avrei potuto e, anche se avessi potuto, sospetto che sarei rimasta comunque in silenzio. Il silenzio, nella mia piccola esperienza, era una valida forma di difesa e un'efficace provocazione. In passato Daddy mi aveva sculacciato per questo. Lo riconosceva per ciò che era, una richiesta di attenzione, il bisogno di portare avanti la scena, parte dei preliminari. «Guardami.»

Io incrociai le braccia e lo fissai.

Gli anni cascavano. Avevo vent'anni, poi dodici, poi otto, poi sette. Diedi un calcio alla gamba del tavolo.

«Non farlo.»

Mi venne voglia di darlo a lui un calcio sulla gamba, ma non lo feci.

Allungò il braccio sulla tovaglia bianca e mi prese la mano. Una barriera era crollata. «Mi dispiace non avertelo detto» disse. «Non mentivo. A quanto pare l'argomento non è mai venuto fuori. Poi Mandy è sbucato dal nulla. Non lo vedevo dal 1977. A dire il vero non so come abbia fatto a trovarmi. Comunque, non potevo voltargli le spalle, è al verde. Non può tornare a casa, è squattrinato. Non ha nessuno.»

"Squattrinato?" Pensai. Aveva addosso l'equivalente del suo peso in oro. E perché non poteva tornare a casa?

«In generale io preferisco andare a letto con le donne, e di sicuro preferisco parlare con loro, ma sono sempre stato attratto dalla bellezza maschile e ne ho goduto sin dai tempi del collegio.»

Ah. Collegio. Prima o poi doveva saltare fuori. Daddy mi aveva detto che gli anni durante i quali aveva ricevuto un'educazione privata erano stati i peggiori della sua vita, e che ci era voluto molto tempo per riprendersi. Sapevo che non era il solo. Mio cugino Danny, che era stato a Eton, si lavò le mani per tre settimane, in continuazione, finché non lo portarono via su un'ambulanza.

Il padre di Daddy era riparato in Sudafrica per investire in una miniera di diamanti, ma soprattutto per fuggire la moglie, che disprezzava profondamente, opinione condivisa da molti altri. La mamma di Daddy allevava cagnetti. Non era presente, né dal punto di vista fisico né da quello emotivo. Perciò Daddy venne lasciato alla scuola preparatoria e alla scuola pubblica, e fu percosso in entrambe. Isolato e privo di amici, era costretto a pulire gli stivali di un rivoltante ragazzo più grande che a volte lo bastonava e a volte lo baciava.

Il ragazzo più grande era di una bellezza che incuteva timore, secondo Daddy. Tutti erano innamorati di lui e attirarne l'attenzione significava elevarsi dall'acquitrino di ignominia patito da qualsiasi dodicenne che sperimentava un sistema educativo progettato da pazzi criminali.

«Non sono mai stato sodomizzato» disse all'improvviso a voce alta, per la sorpresa del distinto *émigré* polacco che gli serviva una tazza di tè. «Mi piaceva baciare gli uomini e accarezzarli, mi piaceva sentire il loro corpo e guardare la loro faccia, ma non avrei mai potuto prenderli dentro di me. A me non andava, forse neanche a loro, e comunque non capitò mai.»

«Però mi piaceva che mi leccassero, le palle, il culo, mi piaceva che mi leccassero dappertutto.»

L'elegante cameriere schizzò via, come se fosse la banconota di uno scherzo trascinata da un filo invisibile.

«E l'altra parte?»

«Oh. Questo è successo. Con grande soddisfazione.»

Perciò Daddy divenne piuttosto promiscuo, nel senso che andava a letto con chiunque glielo domandasse e poi, in seguito, a Cambridge, si abbandonò ai vezzi degli anni Sessanta, e anche lì andò a letto sia con gli uomini sia con le donne. Era scuro, era magro, era inquietante, era maledetto. Le donne lo adoravano; gli uomini lo volevano.

«Sono stato con più donne che uomini» disse. «Ma gli uomini hanno fatto parte della mia vita. Non c'è proprio niente che io possa fare in proposito.» Aveva ragione, certo. Non c'è niente che si possa fare riguardo ai propri gusti sessuali. Sono bizzarri. La storia lo ha dimostrato, se non altro.

«Se li trovo belli, li trovo belli. Tu sai cosa intendo, di sicuro. Sei stata con delle donne?»

«Suppongo di sì.» Io ero stata a letto con delle donne, non perché fossi trasportata dalla loro bellezza, ma, di solito perché me lo chiedevano, e senza che avessi fatto nulla per invitarle. Andavo a letto con le donne perché mi piaceva provare esperienze che non avevo sperimentato prima e scoprire sensazioni che non conoscevo. C'era sempre l'esile possibilità che un'intensa esperienza fisica risvegliasse qualche memoria del passato che mi avrebbe aiutato a illuminare il presente e a chiarire la consistente confusione che spesso mi soverchiava. Perciò, sì, sono stata a letto con delle donne. Sono stata a letto con donne che avevano l'aspetto di uomini, che guidavano motociclette e possedevano chiavi inglesi, e che sapevano cosa fare con un fallo di gomma. Mi piacevano le donne mascoline grosse e brutte, il che, secondo le direttive delle lesbiche del tempo, significava che io non ero lesbica.

Ma io non volevo coinvolgere altri giocatori, maschi o femmine, gay o repressi. Io lo volevo tutto per me, perché a questo punto lui era l'unica persona con cui fossi coinvolta e che mi interessasse. Daddy, comunque, non condivideva il mio punto di vista. Io non ero abbastanza. Mi aveva fatto lui, e adesso era annoiato. Aveva cominciato ad annoiarsi prima di me, ed era la prima volta che mi capitava. Io sono sempre la prima ad annoiarmi.

Avrei voluto mettermi in piedi sul tavolo e domandargli cos'ero io per lui, ma non lo feci. Persino in quell'era implume della mia breve vita sapevo di non essere destinata alle convenzioni. Sapevo che non avrei potuto parlare come suggerivano le riviste femminili, perché non volevo nessuno dei trofei che costituiscono l'interpretazione diffusa della vita moderna. Non sarei mai stata una madre o una moglie; non desideravo beni di consumo durevoli; sapevo che le creme non avrebbero potuto conservare la giovinezza della pelle. Ero stata benedetta dalla preziosa sfiducia nella menzogna. Non avevo paura del futuro e di certo non temevo la morte. Queste cose, come avrei appreso, erano insolite. Mi conferivano la forza che avevo, ma non possedevo la capacità per articolarle.

Non potevo negoziare con Daddy, perché non avevo alcun piano comprensibile. Non mi vedevo destinata a finire da qualsiasi parte. Non mi vedevo pronta a impegnarmi, perciò non avevo altra pretesa che quella di essere amata per me stessa e godermi le cose. Allora non potevo negoziare le pretese. Non potevo parlare di "noi" perché ero maledetta dalla consapevolezza che nel grande schema delle cose non poteva esistere una definizione convincente, perché tutte le relazioni erano soggette all'instabilità.

Per la gran parte delle donne il senso di precarietà è alleviato dal bisogno di generare, e questo istinto basilare introduce le necessarie limitazioni. Ma chi non avverte la necessità di procreare non danza sulle note che risuonano nella vita della maggioranza. Questi pensieri modernisti, per quanto fossero illuminati, non riuscivano a fugare le ombre e gli incontrollabili veleni, l'esito inevitabile quando non si ottiene esattamente ciò che si desidera. E io desideravo ancora Daddy.

Io ero la ragazza di Daddy.

Lo volevo tutto per me.

Mi auguravo che Mandy fosse morto.

Beccheggiavo nel grande mare dei bisogni infantili. I

tramezzini erano asciutti, il milk-shake freddo e viscido; era troppo. Sapevo che a questo punto non avrei potuto uscire dalla sua vita e rimanerne fuori. Avrebbe fatto male, e non in modo piacevole. Dovevo stare con lui, alle sue condizioni, per quanto spaventose.

Mi domandavo se avessi il potere di ferirlo. Mi domandavo se fosse altrettanto terrorizzato dall'idea della mia partenza quanto io lo ero dalla sua. Sospettavo di no. Una volta mi aveva detto che le emozioni cambiano con l'età; non ti importa più molto delle cose, sei meno spaventato, provi meno gioia e meno ansia.

Io sapevo cosa desideravo in quel lento istante in mezzo alle tovaglie bianche, le teiere d'argento e le donne scese dagli Hampshire per la cena e lo spettacolo. Volevo che facesse quello che dicevo io. Volevo che dicesse cose come: «Se mi lasci ti cercherò in capo al mondo e ti riporterò indietro. Voglio te e solo te per il resto della vita. Io ti proteggerò dalla malattia e dalla solitudine».

Giocai la mia carta. «Be', quello che faccio non ti riguarda» dissi, «ora quella che noi ridendo chiamavamo la nostra relazione è aperta al pubblico.»

Daddy deglutì, pareva triste, scrollò le spalle. Era la prima volta che gli vedevo scrollare le spalle; lui aveva sempre una risposta per tutto. Aveva alzato le spalle, e aveva perso trent'anni, vidi il ragazzo che era andato a letto con altri ragazzi perché era solo e spaventato. Non mi sentivo pronta per guardare il suo passato, e nemmeno il suo presente. Io non volevo un essere umano, io volevo un precettore onnipotente. Se lui fosse stato vulnerabile, allora lo sarei stata anche io. La maschera perfetta ora mostrava ciò che c'era dietro, e questo mi faceva venire voglia di gridare forte.

«Sei un paradosso, Stella» disse. «Vuoi essere al sicuro, ma vuoi anche il pericolo.»

Ah sì. Sono schiacciata dagli effetti irreversibili dell'indottrinamento: la delusione sentimentale si insinua nella psiche fin dalla prima storia dei fratelli Grimm, si trova in ogni trama, in ogni quadro, in ogni canzone e immagine. Sono stata resa schizoide dallo stress della semiotica, e non sono la sola. Non ero sola nel mio essere due donne: quella che desiderava essere salvata dai miti e quella che si infuriava per la consapevolezza della loro ingenuità.

Nessuno dei due voleva separarsi dall'altro, perciò andammo nel mio appartamento in King's Road. È un posto piuttosto incasinato, come Daddy mi fece notare subito. Disse di aver visto dei bassifondi di Napoli più ordinati.

Io gli dissi di stare zitto. Lui sbatté le palpebre e arrossì appena. Ma era ancora più alto e più forte di me.

Io non rassetto e non cucino, e non compro mai nulla, a parte libri e vestiti. Questo era chiaro dalla natura dei mucchi di roba nell'appartamento. Pile di indumenti, pile di libri. Da qualche parte sotto tutta quella roba c'era un sofà. Avevo un bel lettone con un copriletto bianco; una cucina nella quale si trovavano un paio di mele, del tè, vino e scarpe. Sul tavolo della cucina c'erano i miei diari, in forma di interminabili scarabocchi su pezzi di carta, foglietti, quaderni e foto, insieme a pennarelli, biro e scotch. Tenevo diari sin da quando avevo imparato a scrivere. Erano e sono il mio hobby. Erano e sono stupidi, criptici, minuziosi, descrittivi e onesti. Avranno sempre bisogno di una traduzione, soprattutto quelli redatti quando frequentavo l'università ed ero costretta a leggere le edizioni integrali dei classici. Commisi l'errore di creare un codice, e mi ci vollero ore per decifrarlo quando sono tornata su quelle pagine per scrivere questo libro. C'erano lune, triangoli e numeri che, una volta tradotti, rivelavano irrilevanti riflessioni sui cocktail party nel cortile del New College. C'erano anche diversi articoli da pervertiti raccolti nei più bizzarri giri di shopping, e la trascrizione delle fantasticherie sensuali, quando la mia mente era concentrata sugli scenari futuri e su ciò che avrei potuto fare. Passai attraverso una serie di mutandine di pizzo e passamontagna (non li indossavo contemporaneamente, ma in occasioni differenti). C'erano un sacco di scarpe. C'era un poster di Pete Murphy e diademi di Butler e Wilson di varie dimensioni e brillantezza. Non era impossibile che in quei giorni indossassi un tutù, sebbene non avrei mai messo dei collant in un colore pastello.

«Togliti i vestiti e sdraiati a faccia in giù sul letto.»

«Non sei tu la capetta» disse. «A quanto pare hai imparato qualche piccolo trucco.»

«Fallo.»

Fece ciò che gli avevo detto, con una certa grazia. Distese il magnifico corpo bianco, lungo e morbido, sul letto. Si sottometteva, e io avvertii il vecchio dolore e la vecchia vergogna, e sapevo che voleva che lo liberassi. Sospettavo che fosse tornato ai tempi della scuola, con l'antico senso di colpa, quell'emozione irreale e inutile, egocentrica e così facile da manipolare.

Volevo fargli del male. Per la prima volta volevo fargli del male. Non ero sicura di potergli infliggere una qualche ferita emotiva, non ero certa della sincerità del suo affetto, ma avevo la certezza che, con qualche ironica concessione da parte sua, avrei potuto fargli male fisicamente.

«Ora ti percuoterò» dissi.

«Lo so.»
«Te lo meriti.»
«Lo so.»
Era un uomo alto su un letto bianco e si stava arrendendo. Infilai le mani sotto il pube e tastai il cazzo semitumescente. Cominciava a eccitarsi. La paura non impediva il divertimento.
Mi misi delle mutandine nere, una sorta di ventriera anni Cinquanta, e il push-up nero. Poi infilai un paio di guanti di pelle nera, lunghi, con dei (veri) bottoncini di perla che lui aveva fatto fare per me, mi lubrificai le dita con la gelatina KY e gliele premetti sotto il naso. «Questo entrerà dentro di te.»
Gli massaggiai i testicoli e il perineo, e poi lentamente gli infilai il mio viscoso dito inguantato di pelle nel retto. Lo adorò. Espirò per il godimento che si avvicinava. Lo massaggiai ancora un po' finché non fu completamente eretto. Dolore fisico con massiccia erezione. Che gioia sarebbe stata per lui, ma sarebbe stata accompagnata da una punizione difficile da sopportare.
Considerai l'ipotesi di vestirlo in maniera umiliante, ma decisi di lasciare perdere. Lo preferivo nudo, nudo e vulnerabile.
Non domandatemi cosa ci facessi con uno scudiscio. Cose di quel tipo all'epoca entravano da sole nella mia vita. Sembrava che io tirassi fuori il peggio dalle persone, i perversi riconoscono i perversi, e le persone mi donavano spesso accessori in grado di animare ogni situazione. Possedevo diversi complementi da tortura e lo scudiscio era fatto di rami di salice, sottile e sferzante, concepito per un cavallo piuttosto che per gli scolari. «Questo ti farà molto più male che a me» dissi.
Abbattei la sferza sulle natiche bianche. Ci fu un si-

bilo appagante, e lo scudiscio tagliò una linea rossa sulla carne.

Guaì e si contorse. «Ahia! Gesù. Fai attenzione.»

«Stai zitto.»

Lo colpii ancora, e ancora e ancora, le linee rosse gli solcavano il sedere e le cosce. Ruggì ancora e cominciò a respirare pesantemente.

Io stavo in piedi sopra di lui e mi servivo di tutta la mia forza. Andai avanti, e avanti, mi perdetti nella furia selvaggia, guardavo l'arazzo che compariva sulla pelle, mi godevo i lamenti che si trasformavano in urla. Poi, all'improvviso, i gemiti profondi si trasformarono in singulti. Il suo corpo si sollevò, Daddy singhiozzò e fremette per la spaventosa emozione del sollievo. Non avevo mai visto un uomo piangere prima, e mi atterrì. Credo che fino ad allora non lo avessi mai visto neppure in televisione. Non sapevo che fosse possibile. Di solito non possono, suppongo, ma a volte lo fanno, e non riescono più a fermarsi. Un pianto maschile. Stremata, tornai al normale spazio dell'affetto, lasciai cadere la bacchetta, lo slegai e lo abbracciai, madre, per la prima e ultima volta della mia vita.

La sua erezione era enorme. Mi chinai e gli leccai la cappella con dolcezza, dicendogli che era un bravo ragazzo, succhiandolo con la bocca, stuzzicandolo con la lingua, lungo il bordo e in cima, come sapevo che gli piaceva.

Poi mi misi cavalcioni e lo scopai per il mio piacere. Tutti i muscoli interni, caldi e bagnati, si contrassero in una guaina stretta, la parte bassa del mio corpo baciava ogni terminazione nervosa sulla sua asta, accarezzava ogni piccola vena gonfia. Strinsi sempre di più, sapevo che sentiva ogni contrazione come un bacio sul cazzo.

Gli tirai fuori lo sperma con la fica e venni come se qualche cosa in lui fosse collegata con una parte profonda e interna di me, di cui non avevo consapevolezza ma che era, solo alcune volte sfortunatamente, colma di gratitudine, rispetto e amore. Non c'è niente come un grande cazzo, amiche mie.

Eiaculò e io sentii le sue onde mentre scompariva in quel luogo dove gli uomini vanno, perdendosi, e gemendo profondamente, com'era solito fare. Giacque inerme, le lacrime gli solcavano ancora le guance. Gli asciugai il sudore dalla fronte con un fazzoletto bianco e pulito.

«Cos'è quella cosa che hai sulla fica?» disse.

«Uno scorpione» risposi.

Lo rispedii da Mandy, rammollito e ricoperto di segni. Il mio marchio. Le livide piaghe porpora che dicevano SB. Avevo punito Daddy e lui era ancora mio. Mandy non l'avrebbe avuto, almeno per quella notte. Ci sarebbe stata se non altro una distanza fisica tra di loro.

Dopo quella volta, tutto entrò in una nuova dimensione.

Decisi di lottare.

Avrebbe potuto essere gradevole. Mandy e io avremmo potuto essere amici. Avremmo potuto divertirci sotto i termini di un mutuo accordo, uniti dall'amore di Daddy piuttosto che divisi dall'odio reciproco, ma non lo facemmo.

Mandy si era trasferito in una delle camere degli ospiti nella casa di Cheyne Walk, perciò gli adorabili asciugamani di Daddy ora erano sempre macchiati di crema abbronzante.

C'erano sempre uscite per negozi, perché Mandy aveva bisogno di una camicia, di un trattamento al viso, di un'automobile o di qualcos'altro.

Mandy era manipolatore ma stupido, una combinazione che garantisce scarsi risultati. La cosa irritante era che non mi vedeva come una minaccia, perché era sicuro del proprio stato nel dominio in Cheyne Walk. Impartiva ordini al personale come se fosse la sposina. Questo faceva impazzire Jimmy. Lo chauffeur e io fumavamo insieme in giardino, e ci lamentavamo a mezza bocca.

Jimmy fuori servizio non indossava il cappello, quando osservai il volto notai che era molto più giovane di quanto avessi pensato, meno che quarantenne. I lineamenti e i tatuaggi denunciavano uno stretto rapporto con il sistema penitenziario, e aveva quel genere di mascella che a volte vedi negli uomini di guardia davanti alla porta dei night-club o sullo sfondo dei vecchi film di Cagney. Aveva la testa rasata, ma gli occhi blu, divertiti, e quando non era in uniforme indossava preoccupanti girocollo di jersey che la moglie comprava per lui da Marks & Spencer.

«Io non sono abituato agli insulti pesanti» disse, «ma quella donna, o qualunque cosa sia.»

«Pensi che sia pericoloso?» domandai. «Kevin, il parrucchiere, mi ha detto di averlo visto in un club con un coltello.»

Jimmy esalò il fumo con aria pensierosa. «Difficile a dirsi con gli stranieri, non è vero? Chi può sapere cosa li fa scattare? Ma ho visto dei tipi così quando ero a Coldingley, erano dentro per droga soprattutto. Per lo più erano psicotici.»

Mandy diceva di avere ventotto anni, ma io sospettavo che ne avesse almeno cinque di più. Una volta, nella sua sacca rimasta aperta avevo notato due passaporti; io non ho niente in contrario, ma in uno c'era la sua foto con un nome diverso. Sussurrava sempre al telefono ed era un patito della droga da discoteca, negli anni Ottanta era l'ecstasy, ecstasy e speed se ricordo bene. Questo avrebbe dovuto far arrabbiare Daddy, ma non succedeva. Diceva sempre che odiava le droghe, ma non gli importava che Mandy le prendesse. Neanche a me importava che le prendesse, perché significava che se ne sarebbe andato in paradiso e avrebbe lasciato me e Daddy a giocare da soli. Ma questo stile di vita gli procurava problemi finanziari, che lui dimenticava bevendo, e il bere non gli giovava di certo. Tirava fuori la regina urlante che era in lui. C'erano schiaffi, strilli e lacrime. Era come vivere con Bette Davis in *Piano... piano, dolce Carlotta.*

Daddy cercava di placarlo. Lo accarezzava, lo abbracciava e lo blandiva come una madre con un bimbo che fa i capricci al supermercato. «Se ti calmi puoi avere questo.» Non aveva mai blandito me in quella maniera; ma del resto le mie scene isteriche non erano mai reali, soltanto messinscene, preliminari, un modo per farmi mettere le mani sul culo e la bocca sulla bocca.

Mandy non amava Daddy, lo sapevo e questo mi colmava di livore.

Ciononostante li guardavo fare sesso e mi masturbavo. Era stimolante, due corpi maschili avvinghiati tra loro, sudore, muscoli, violenza e mirabili erezioni.

Mi piaceva guardare Mandy che lo prendeva in bocca a Daddy, mi piaceva guardarlo sottomettersi. Daddy era sempre così bello nudo, avrei potuto guardarlo fare qualsiasi cosa con chiunque. La pelle era immacolata; il corpo tonico senza essere gonfiato dalla palestra; la schiena lunga e snella, i fianchi stretti, le cosce solide.

A Mandy piaceva che io lo guardassi con Daddy, perché pensava di essere magnifico a letto e che la mia autostima sarebbe stata distrutta dall'evidenza dei fatti. Credeva che Daddy, facendo sesso con lui senza che io fossi coinvolta, si allontanasse da me, ma non era affatto così.

A Daddy piaceva che stessi a guardare perché gradiva che io prendessi parte alla situazione; era contento che fossi lì.

Mi dispiaceva condividerlo. Io non volevo condividere. Iniziai a vedere altri uomini. E donne. Mi sentii attratta dalle *leatherwomen* della zona nord di Londra, apprezzavo il loro candore e i loro abiti in pelle. Amavo solo il mio Daddy, ma qualcosa era cambiato. Il sesso tra noi divenne più ordinario, perché cominciavo a fidarmi meno di lui. Non volevo più che mi dominasse. E di certo non volevo che mi procurasse dolore fisico quando quello psicologico era quasi impossibile da sopportare.

Suggerì che andassimo a letto tutti insieme, ma io non volevo. Io volevo solo guardare. Mandy si rasava le palle e il pube, e questo lo faceva sembrare interessante, ma io non ero attratta da lui, non mi piaceva. Chi avrebbe voluto baciare quella boccuccia impudente? Aveva un odore terribile. Non so dove trovasse l'acqua di Colonia, ma invadeva la casa come un gas nauseabondo.

Non avevo voglia di accettare una gara di pompini, farmi giudicare per la mia abilità, come in un'eccentrica fiera di campagna.

Ero gelosa. Cercai di combatterlo, ma non ci riuscivo.

Nel frattempo, più Daddy dava a Mandy, più quello diventava pericoloso. Rimaneva fuori tutta la notte e dormiva tutto il giorno. Dei figuri sinistri cominciarono ad aggirarsi per la casa come se ne fossero i proprietari. Arrivarono le droghe, e con le droghe un gruppo di ragazzine esili a cui piaceva la coca e che si davano parecchio da fare, sia per averla sia dopo averla presa. Divenne tutto come in uno dei primi romanzi di Martin Amis.

Daddy serviva loro dei cocktail dal carrello d'argento. Era una via di mezzo tra un padre e un maggiordomo, giocava a fare l'ospite con le giovinastre. Le scorrazzava in giro, o istruiva Jimmy perché lo facesse. Loro passavano la notte sui preziosi sofà e mangiavano tutto quello che trovavano in frigorifero. Le mattine erano posacenere e odore di vino rosso, bicchieri rotti e briciole sul pavimento. C'era un ragazzo di nome Rory che indossava un Barbour e dormiva sulle scale. Portava scarpe di Gucci ed era tossicodipendente. Lo sentii litigare con Mandy riguardo a un vassoio d'argento scomparso. L'argento sembrava un motivo ricorrente. C'erano sempre fogli di carta argentata bruciacchiata nel gabinetto del piano inferiore.

Questo avrebbe dovuto far impazzire Daddy, ma non sembrava che gli importasse, non pareva che si accorgesse che quella gente era fatta, insensibile, venale.

Alcune delle ragazze erano belle, ma come fossero state appena esumate, altre bionde e magnifiche. Erano tutte di primo livello, perdute, legate alle forze della notte perché incapaci di sopportare il giorno, il mattino, la luce, la vita. Sperperavano il denaro dei loro genitori in danze e droghe. Non avevano alcun talento, nessuna immaginazione, nessuna speranza.

I ragazzi, effeminati e isterici, vedevano un uomo ricco in una casa aperta. Pensavano che tutto fosse a loro disposizione, che fosse lì per essere preso. Alcuni di loro avevano il fegato di chiedere a Daddy di prestargli del denaro, cosa che lui faceva, se volete saperlo, cento dollari qui, cento dollari là, non era capace di dire di no.

Mandy pretendeva sempre di più: cene, gioielli, trattamenti di bellezza, contanti. Era la moglie trofeo e Daddy ne era infatuato. Mosso dalla bellezza della gioventù, era cieco, non vedeva la bocca viziata, il tremolo da ragazzina e la stupidità priva di umorismo. Daddy e io non andavamo più nella casa in campagna perché a Mandy non piaceva lasciare Londra e non gradiva la campagna. Lo spaventava e lo annoiava. Non c'erano negozi, lui non andava a cavallo, faceva freddo e c'era umido e lui non sapeva cosa fare.

Daddy divenne sempre più dipendente da Mandy. Iniziò a fare cose che non avrebbe mai fatto. Andava nei club perché non voleva perdere di vista Mandy. Si sarebbe messo i jeans se io non gli avessi detto che aveva un aspetto assurdo. Diede a Mandy una carta di credito, perché voleva che restasse. Cosa riceveva in cambio? Un'assurda puttana che si aggirava per casa in minuti bikini, sempre più pretenziosa, che trattava tutti come servi, lamentandosi di qualunque cosa, dal latte nel caffè al rumore della strada, dal clima alla qualità dei suoi orribili maglioni di cachemire gialli. Ciondolava ubriaco, faceva cadere dai tavoli pregiati le preziose ceramiche di Daddy, lasciava sigarette accese sui tappeti damascati, contaminava e inquinava.

Mandy raccontava un mucchio di frottole riguardo alle sue origini. Diceva di essere cresciuto per strada e di aver dormito in un barile a Caracas durante la "rivoluzione". Non era stato a scuola, ed era vero che non sapeva né leggere né scrivere, un fatto del quale era stranamente fiero e che menzionava ogni volta che andavamo in un ristorante. Appoggiava il menu aperto, si rabbuiava, incrociava le braccia sul petto e aspettava che Daddy leggesse l'intero elenco di antipasti, mentre a me veniva la barba, nel frattempo.

Sosteneva che da bambino era praticamente morto di fame. Il poco cibo veniva procurato dalla sorella tredicenne che faceva la prostituta. Mandy, secondo di sette figli, aveva considerato il mestiere della sorella un saggio spunto per la propria carriera.

Di tanto in tanto, con mio gran divertimento, affermava di essere in grado di leggere il futuro, grazie a un antico sangue gitano che gli giungeva da parte di nonna, una donna, a quanto pare, in grado di praticare riti vudù e preparare potenti stufati nei quali mescolava spezie assortite. «Io vedo le cose» annunciava in tono drammatico. «Io conosco le cose. Io sono sensibile.»

«Allora starai gelando con quei pantaloncini corti» dicevo io. «È novembre.»

«Dirò a Jimmy di alzare il riscaldamento.»

Minuscoli pantaloncini bianchi, chiappe, pacco, scarpe da ginnastica, maglietta corta, pancia di fuori, ogni tanto un bigodino tra i capelli, potete immaginarlo.

Kevin il parrucchiere diceva che sapeva per certo che Mandy aveva vissuto per due anni con un uomo d'affari sessantenne su uno yacht alle Bahamas. L'unica ragione per cui non era ancora lì era che c'era stato un incendio. Si sospettava che fosse doloso, l'uomo d'affari non era riuscito a farsi rifondere dall'assicurazione e la relazione si era raffreddata. Mandy piagnucolava e si lamentava finché Daddy non lo portava da Tiffany o da Asprey o da Hermès e scovava per lui il prodotto di lusso più adatto per quell'ometto malvagio.

In breve aveva ricevuto numerose scatole d'argento, capi in pelle e un Rolex, tutte cose che scomparivano subito, perché Mandy le vendeva per comprare la droga.

Ogni tanto mi mostrava l'ultimo anello con l'atteggiamento trionfante di un cortigiano del diciassettesimo secolo.

«Quell'affare farà scattare il metal detector all'aeroporto» sottolineavo io. «Verrai rimpatriato a Puerto Rico.»

«Tu, stupida puttana» ringhiava. «Io sono venezuelano, e lo sai. Perché pensi che io abbia ottenuto questo e tu no? È stanco di te, vorrebbe che portassi lontano il tuo culetto stretto, fuori dalla sua vista. Non gli piacciono i tuoi tutù e i tuoi occhiali da sole da due soldi. Tu pensi di essere Audrey Hepburn, signorina, ma assomigli di più a Cindy Lauper. Dice che baci come un formichiere.»

«Almeno io non ho l'odore di un formichiere.»

A dire il vero io non pensavo di essere Audrey Hepburn. Lo consideravo un insulto peggiore che quello del formichiere. Non avevo mai potuto sopportare la sua voce, i suoi occhioni o il fatto che ballasse per la casa con le scarpe basse. Sempre in nero e svolazzante, era peggio di un moscone. Mi auguravo che qualcuno la scacciasse con un giornale arrotolato.

A me piaceva pensare di non assomigliare a nessuno. Daddy diceva sempre che ero unica, e io gli credevo. Diceva che se fossi stata un animale sarei stata mangiata subito perché non avevo capacità mimetiche e non ci sarebbe mai stata una mandria disposta a proteggermi. Diceva che se avessi avuto il buonsenso di nascondermi in un cespuglio, sarei saltata fuori solo per essere importuna.

«Moriresti dopo un secondo» osservava. «Le tue gambe verrebbero mangiate prima del tramonto.»

«Meglio morta che ottusa.»

«Parla la ragazzaccia cattiva con uno scorpione sulla fica» diceva.

Daddy non approvava il mio tatuaggio. Come avevo previsto, lo considerò un affronto personale nei suoi confronti, un simbolo del mio distacco dalla sua autorità. Avevo avuto un'esperienza al di fuori, che non lo aveva coinvolto. Se fossimo stati com'eravamo prima di Mandy, ne avrebbe approfittato per dare inizio a qualche scena eccitante, ma sapeva che date le attuali circostanze del *ménage* non avrebbe potuto impartirmi gli ordini con sufficiente autorità. Daddy trattava Mandy e me come bambini che sbagliavano, e più lo faceva, più noi rimanevamo imprigionati in una rivalità tra fratelli tanto intensa che sarebbe stata solo una questione di tempo prima che qualcuno venisse spinto fuori dal nido e si rompesse il cranio per terra. Una volta, nauseato e stanco di noi, ci fece piegare tutti e due, fianco a fianco, appoggiati alla spalliera del sofà vittoriano in salotto.

Avevamo bisticciato per tutto il giorno perché Mandy voleva andare a Parigi per il weekend e io no. Io detestavo Parigi, ma non volevo neppure lasciarli andare insieme e rafforzare la relazione dalla quale venivo a poco a poco esclusa. Mandy sculettò per tutto il salotto, preceduto dalla sua acqua di Colonia. Era stato dal parrucchiere e si era fatto arricciare i capelli alla Farrah Fawcett. Aveva i piedi nudi, le unghie smaltate di rosso.

Io ero acciambellata in braccio a Daddy sulla poltrona. Mi stava mettendo un cerotto sul dito e intanto mi sussurrava all'orecchio. Avrei voluto rimanere lì per sempre, al caldo e vicino a lui, avvolta nell'amore e nella sicurezza. Indossavo una maglietta rosa aderente di Aertex, davvero troppo piccola per me, una minigonna di pelle plissettata, calze fino alle caviglie e delle scarpe di vernice lucida di Mary Jane con adorabili fibbie dorate.

Ero completamente felice, e lo era anche Daddy, ma con Mandy, e con la sua voce alta e piagnucolosa, arrivò tutta la tensione che inevitabilmente una personalità sgradevole conferisce all'atmosfera.

Raggiunse il carrello dei liquori, si versò una *crème de menthe*, aggiunse il ghiaccio e compì una giravolta sulle punte, come una ballerina classica, il bicchiere in una mano, l'altra posata sui fianchi. Camminò verso di noi come se fosse sulla passerella, sorseggiò il liquido verde e abbassò lo sguardo con un'espressione che l'ultima volta era stata vista nella fase estrema de *Il ritratto di Dorian Gray*. Vale a dire, la bocca e gli occhi contorti in una maledizione incontrollata ed esplicita.

«Cos'ha la cicci-pucci?» disse. «Si è fatta male al ditino?»

Se fossi stata un cane, lo avrei morsicato sulla faccia. Saltai in piedi e gli diedi uno spintone con tanta forza che lo feci cadere a terra. Si abbatté su uno dei tavoli e crollò a terra insieme a un vaso Spode del diciannovesimo secolo, modellato nel colore noto come verde Sardegna. L'oggetto venne seguito da un posacenere

Hermès e una lampada con un disegno che rappresentava la caccia con i cani. Il tempo si arrestò per diversi secondi durante i quali sia Daddy sia io guardammo il ladyboy disteso in terra e coperto da cocci di porcellana. Il tempo si arrestò, ma noi non facemmo niente. Mandy, comunque, aveva i riflessi di un sopravvissuto alla strada. Era giovane, faceva palestra, era agile e tenace, e aveva fatto a botte nei bassifondi. La checca sparì in un secondo, arrivò il furfante, e con il furfante una forza brutale e l'istinto di servirsene che trascendeva qualsiasi rispetto per la sicurezza personale, per i confini della legge. Il mito machista che aveva creato per sé non era più distante e improbabile. Avvertii un pericolo reale quando si avventò su di me e iniziò a stringermi le dita attorno al collo. Daddy lo trascinò via e, sollevandolo con una forza sorprendente, lo scaraventò sulla spalliera del sofà, gli abbassò i jeans e lo tenne lì, con il culo in su, la faccia contro i cuscini. Mandy si contorse, si dimenò e imprecò in spagnolo.

«Calmati» disse Daddy.

Mandy fu così sorpreso che rimase in silenzio.

Io ero furiosa quanto lui, respiravo a fatica ed ero paonazza. I capelli quasi mi coprivano la faccia e non ci sarebbe voluto molto prima che scoppiassi in lacrime.

Daddy mi rivolse uno sguardo inflessibile da precettore. «Vai e piegati accanto a lui, Stella.»

Misi il muso e non feci nulla.

Mi afferrò, mi abbassò le mutandine nere fino alle cosce e mi sculacciò con forza sulla parte anteriore delle gambe. «Fai come ti dico. Non intendo trascinarti lì. Devi andarci da sola.»

Ero così arrabbiata che non sapevo cosa fare.

Mi sculacciò ancora, più forte, le gambe mi diventarono paonazze. «Vai e piegati sulla spalliera del sofà adesso. Vi punirò entrambi.»

Sapevo che alla fine sarei dovuta andare lì, perciò feci ciò che mi aveva detto. Camminai con tutta la dignità che potei raccogliere fino all'Aubusson sul quale era ripiegato il mio rivale, culo nudo, respirando pesantemente e borbottando in spagnolo.

Allungai una mano fino all'inguine di Mandy per vedere se era duro. Lo era e, per un fugace istante, mi sentii abbastanza eccitata da scoparlo. Non aveva un brutto cazzo dopotutto, era liscio, abbronzato e grosso. Doveva funzionare molto bene attaccato com'era a una persona che fotteva per vivere.

Daddy mi tirò via la mano e me la mise dietro la schiena. «Bene» disse, «adesso basta!»

Mi legò le mani dietro la schiena con la cravatta di Saint Laurent.

Poi mi abbassò le mutandine fino al pavimento. Ora Mandy e io eravamo due sederi in fila; quattro chiappe, a essere precisi.

Sapevo cosa sarebbe accaduto, ovviamente, ma era la prima volta che qualcuno riceveva il castigo insieme a me. Le presunte offese all'autorità, la cattiva condotta, le punizioni, avevo sperimentato tutto questo sempre da sola, un dramma che ci godevamo soltanto Daddy e io. Per quanto fossi turbata, ero anche stuzzicata e mi godevo l'inizio di questa nuova avventura, poiché mi piacevano tutti gli esperimenti sensuali. Mi immersi nell'istante e mi domandai chi avrebbe ricevuto i colpi per primo. Mi chiedevo chi li avrebbe ricevuti con maggior vigore. In verità avrei voluto sapere quanto arrabbiato fosse Daddy.

Non riuscivo a vedere Mandy perché il mio viso era dietro il sofà, ma lo avvertivo, e di certo ne sentivo l'odore.

La voce di Daddy giungeva da dietro di noi. «Ne ho avuto abbastanza di tutti e due. Siete viziati, infantili e insopportabili. Se non la smettete uno dei due se ne dovrà andare.»

Nessuno di noi disse nulla. Io provavo la familiare esperienza della calda eccitazione. Speravo che Mandy prendesse tutto questo molto male e se ne andasse.

Daddy lasciò la stanza per cinque lunghi minuti, e noi rimanemmo nel nostro odio reciproco, il culo nudo all'aria, in attesa e umiliati. Io strofinai la passera pulsante contro la spalliera del sofà. Se non avessi avuto le mani legate dietro le schiena, mi sarei masturbata. Pregai che Daddy mi scopasse alla fine della punizione; il bisogno sessuale di lui era intollerabile.

L'unico suono era quello dell'orologio e il ronzio del traffico che viaggiava lungo la Embankment. Sapevo che Susan era in casa, al piano di sotto, in cucina. Mi domandavo se sarebbe comparsa. Mi auguravo di no.

Silenzio.

Chi avrebbe picchiato per primo? E la scelta avrebbe significato qualcosa? Sentii che Daddy rientrava nella stanza, i passi attutiti dal tappeto. Mi frustò per prima, e si servì di una spatola dal dorso di pelle. Urlai tanto forte da abbattere la casa. Urlai il dolore del presente, la frustrazione dell'immediato passato e, poi, senza alcuna forma di inibizione, il dolore dell'infanzia. Non mi ero mai lasciata andare così, era una nuova resa e mi persi in essa, la liberazione e gli schiocchi, il pulsare e il sangue, la fiducia in Daddy.

Mandy si doveva essere allarmato, pensando che il

rumore che facevo fosse commisurato all'intensità del dolore che mi veniva procurato. Non era proprio così. Io strillavo perché avevo bisogno di strillare, come a volte capita ai bambini, solo perché c'è un livello insopportabile e incomprensibile di frustrazione riguardo al quale non c'è nulla che si possa fare. Daddy mi faceva male, sì, ma perché il dolore fosse proporzionato al trambusto che producevo mi avrebbe dovuto asportare la gamba con un paio di forbicine da unghie.

Mandy era una regina del dramma e avrebbe dovuto accorgersi che esageravo, ma era anche egocentrico, accecato dal narcisismo, e incapace di leggere negli altri. Probabilmente pensava di stare per ricevere una punizione insopportabile.

Daddy aveva già usato la spatola altre volte con me. Una volta perché gli avevo tirato una forchetta; un'altra perché mi aveva sorpresa a fumare uno spinello fuori dalla finestra. La spatola gli permetteva di giudicare la punizione dal colore delle natiche. A volte optava per una sfumatura rosa chiaro, altre per il rosso, altre ancora per il cremisi o il porpora. Oggi mi toccava la sfumatura più scura dello spettro. Mi sculacciò molto forte, fermandosi tra un colpo e l'altro, in modo che sapessi che aveva in mente di proseguire. Era una punizione adeguata e, per la prima volta da un po' di tempo, mi spinse a desiderare di cambiare il mio comportamento. Capivo che se non mi fossi conformata ai suoi desideri, lo avrei perso.

Piansi.

Daddy mi tirò in piedi, mi trasse a sé e mi slegò le mani. Si inginocchiò e mi infilò la lingua nella fica bagnata. Venni all'istante, fremendo violentemente. Caddi. Mi afferrò e mi baciò sulla bocca. Poi mi ingiunse di stare zitta e di guardare. Io ero lì in piedi, nuda dai fianchi in giù, tre dita dentro di me, il sedere che mi pulsava di calore rosso. Sapevo a malapena dove fossi.

Impartì la stessa punizione sul posteriore abbronzato di Mandy, e il fondoschiena compì una danza allegra, oscillò per cercare di sfuggire alla pelle spietata, divenne sempre più rosa, mentre in Mandy cresceva la rabbia, e l'erezione. Mandy dovette essere sculacciato per più di quindici minuti prima di manifestare un qualche segno di genuino rimorso. Per natura non era remissivo, si sottoponeva a questo rito per poter mantenere la propria posizione nei confronti di un'indispensabile fonte di denaro. Alla fine, mentre Daddy continuava a scurire ritmicamente quel didietro, le maledizioni cessarono e Mandy si fece silenzioso.

«Ti comporterai bene?»

«*Sì.*»

«Sì cosa?»

«*Sì, señor.*»

Mandy si alzò in piedi, si strofinò il culo e aggrottò le ciglia.

Daddy non lo baciò. Niente cure per Mandy. Gli stava bene.

«Rimani in piedi lì, Mandy, per favore» disse Daddy.

Daddy mi spinse a quattro zampe sul tappeto di fronte al parafuoco. Si inginocchiò dietro di me e mi infilò il cazzo duro in profondità, il bacino sbatteva contro le mie natiche rosse fiammeggianti. Ero in un altro spazio, trasportata dal dolore e dal piacere, tutto era caldo, la gola aperta, gemevo di bisogno di lui.

Mi scopò lentamente. Era delizioso. Eiaculò dentro di me, prendendosi lunghi minuti per gustarsi l'orgasmo. Poi si alzò, tirò su i pantaloni e ingiunse a Mandy: «Dì a Stella che è bella».

Io rimasi a quattro zampe, sapevo che se mi fossi seduta sul pavimento mi avrebbe fatto male il culo.

«Diglielo.»

Mandy sembrava sul punto di tossire per liberarsi di una palla di pelo. Ma aveva il culo dolorante, e non ne voleva di più. Sapeva che doveva fare ciò che gli era stato detto. «È bella.»

Dopo di ciò, dovemmo tutti e due ripulire il casino che avevamo combinato durante la litigata. Daddy ci diede degli stracci per la polvere e delle spazzole e ci informò che avevamo distrutto cinquemila dollari di porcellane.

Eravamo un po' in soggezione. Sapevo che Mandy avrebbe voluto parlare, che avrebbe voluto stringere con me un legame per il dolore condiviso, una forma di ammutinamento contro la figura autoritaria. Ma io non volevo che fossimo amici. Crudele e gentile. Questo era il *métier* di Daddy, la sua forma d'arte. Era affezionato a me, ma rimaneva ossessionato da Mandy.

Imparai a essere paziente. Imparai a guardare come se mi trovassi a un provino in attesa delle battute da recitare. Avevo letto abbastanza del buddismo per conoscere il senso del distacco dalle cose. Era giusto. Sapevo che avrei dovuto lasciare andare, ma non mi scollegavo da ciò che desideravo. Non ero così buddista!

Daddy nel frattempo vendeva azioni. In salotto sentii uno dei suoi amici intimi (il solo) che lo sconsigliava. Rodney disse che Daddy si stava comportando da stupido, anche se ovviamente lui non lo chiamava Daddy. Lo ammonì riguardo alla sua sposa ragazzina (che presumo fossi io) e alla checca urlante (Mandy pareva l'unico candidato per soddisfare questa descrizione). Rodney gli disse che si stava rovinando la reputazione, minava gli interessi commerciali e amministrava male il portafoglio finanziario. Stava permettendo a due piccoli cercatori d'oro di affossarlo.

Non riuscii a sentire la risposta di Daddy perché la sua voce era troppo bassa e io mi rifiutavo di appoggiare l'orecchio al buco della serratura come un maggiordomo da pantomima.

Porcellane e argenteria continuavano a scomparire dalla casa. Daddy diede la colpa a Jimmy e Susan che lavoravano per lui da anni. Questo, come c'era da aspettarsi, causò una rottura. Jimmy poteva anche avere dei precedenti penali (come disse lui) ma non aveva mai rubato al suo datore di lavoro, né intendeva farlo. Era un uomo diverso, mi disse in giardino; aveva ribaltato la sua esistenza grazie agli alcolisti anonimi. Se tutta questa storia fosse continuata, avrebbe dovuto andarsene.

«Andrà a finire che o me ne vado io o il ladruncolo ispanico» mi disse.

Io suggerii a Jimmy di essere paziente. Ci stavo lavorando.

«Prenderò le cose giorno per giorno» disse tetro. «Un giorno per volta. Con semplicità. Sarà quel che sarà. Dio sa quel che sarà.»

Era destino che ci dovesse essere una scena madre, e la scena madre arrivò. Avevamo avuto una cena molto tesa in Park Walk, e alla fine vidi Mandy che rubava la mancia che era stata lasciata su un altro tavolo. Se la infilò nella tasca davanti dei jeans aderenti, dove rimase come prova una protuberanza rettangolare.

Quando tornammo a Cheyne Walk, dissi a Daddy

quello che avevo visto. Gli comunicai anche che Kevin, il parrucchiere, aveva visto Mandy portato via dalla polizia per adescamento a Earl's Court.

«È una bugia» strillò Mandy.

Daddy, con mia grande sorpresa, mi credette. Non sembrava che gli importasse dell'adescamento, ma era furioso per la mancia. Sapevo perché. Se Mandy fosse stato visto, Daddy, come cliente abituale, sarebbe stato ritenuto responsabile e si sarebbe coperto di ridicolo. Dal suo punto di vista, rubare una mancia a un cameriere era imperdonabile, soprattutto se il ladro aveva tutto ciò di cui aveva bisogno e molto di più.

Mandy avrebbe potuto negare e farla franca, ma, stupido com'era, nella maniera che spesso caratterizza i delinquenti, ammise la propria infrazione e disse: «E allora? Sono tutti dei ricchi coglioni».

«I camerieri non sono ricchi» sottolineai.

«Zitta Stella» disse Daddy. «Mandy, voglio che tu mi dia quei soldi. Domani tornerò e li lascerò di mancia al cameriere.»

«Sei fuori di testa? Non se ne parla, amico.»

Daddy e io fissammo la banconota che sporgeva dalla tasca dei pantaloni.

«Dico sul serio, Mandy. Voglio i soldi che hai rubato da quel tavolo.»

«*En el nom de Dio!* Sono cinque sterline!»

Non so se intendesse che erano parecchi (troppi per restituirli) o troppo pochi per preoccuparsene. Immagino che cinque sterline siano come la bellezza, dipende dagli occhi di chi guarda. Non sapevo niente di mance; era sempre Daddy a occuparsene. Non gli avevo mai chiesto niente.

«Non mi importa, dammeli.»

Non avevo mai visto Daddy così freddo e determinato. Di colpo, era l'uomo d'affari che trattava con fare professionale nel consiglio di amministrazione, freddo e intelligente. Non sarebbe stato manipolato o ingannato, e avrebbe ottenuto esattamente ciò che voleva.

«Vaffanculo rottinculo» disse Mandy.

L'intuito di Mandy era limitato. Se avesse interpretato la scena con attenzione, avrebbe capito che questo era il momento per chiedere scusa e fare ciò che gli veniva detto. Non solo era stupido, ma era abituato alla fiducia di Daddy. Non aveva mai visto il lato più forte di lui, solo l'anziano amante che cercava sempre di compiacerlo.

«Voglio che tu te ne vada» disse Daddy.

Se siete mai stati tanto sfortunati da assistere a un atto di violenza, sapreste che è una cosa squallida. Non c'è mai la colonna sonora. Non ci sono poliziotti asiatici. Eravamo in cucina. Daddy era in piedi accanto al frigorifero. Mandy estrasse un coltello e si avventò su di lui. Arretrò il braccio e colpì con tutta la forza che poté. Daddy crollò a terra con un gemito. Il sangue schizzò sul frigorifero e una pozza rossa appiccicosa iniziò ad allargarsi sul pavimento.

Mandy non sembrava scioccato e non fuggì. Rimase calmo e osservò il risultato di ciò che aveva fatto, strappò un pezzo di carta da cucina, pulì con cura il coltello e buttò il foglio macchiato nel bidone. Poi camminò lentamente fuori dalla stanza, i tacchi cubani che picchiettavano sulle scale di legno e sparivano in lontananza.

Chiamai un'ambulanza.

8

1986-87

Risultò che la ferita era limitata alla gamba. Dolorosa. Aveva perso un po' di sangue. Non letale. Daddy era costretto sulla sedia a rotelle. La sedia disponeva di freni, ma io non sapevo dove fossero. Lo spingevo in giro per la casa così veloce che i suoi capelli parevano sferzati dal vento.

«Stella, questo non è un giocattolo, ricordati cosa ti ha detto quella donna. Maledizione.»

Mi vennero dei bicipiti belli tonici.

Ogni giorno veniva un'infermiera privata a controllare la medicazione e ad accertare che avesse antidolorifici a sufficienza. Mi scrutava con malcelato sospetto mentre io mi pavoneggiavo in giro per la stanza del malato in gonna corta, calze alle ginocchia e una maglietta aderente su cui era ritratto il volto del bellissimo Tom Verlaine.

«Sua figlia ha molta energia, signore. Ma è così quando sono giovani. Mi ricordo i giorni in cui potevo ballare lo shimmy fin dopo mezzanotte. Adesso a quell'ora sono a letto con una tazza di cioccolata e il gatto.»

«Non è mia figlia!» diceva Daddy, con tutta la forza che riusciva a rastrellare. «Stella, smettila di ballare in quel modo, farai cadere qualcosa. Allontanati dallo scrittoio. Vai a prendere una tazza di tè per l'infermiera Grey.»

«Sarebbe meraviglioso, cara.»

Io camminavo rumorosamente, sbattevo le scarpe di Viv Westwood e tornavo con la bevanda richiesta, dopo aver mangiato quasi tutti i biscotti al cioccolato e aver lasciato all'infermiera quelli che non sapevano di niente. Non mi fidavo dell'infermiera Grey. Aveva una certa età. Almeno quarantotto anni. Avrebbe potuto farsi strada nel cuore indebolito di Daddy e prolungarne la malattia per i propri fini. Non leggevo i giornali, ma sospettavo che esistesse questo genere di cose. Daddy ogni tanto accennava al fatto che un'infermiera tutto sommato non gli sarebbe dispiaciuta. Dopo l'incidente di Mandy, tenevo la guardia alzata per prevenire qualsiasi intervento esterno. Non dovevano esserci altri intoppi.

«Porcellane adorabili.»

«Sì. Non so per quale ragione abbia usato la caffettiera Seuter» disse, e mi lanciò un'occhiata truce. «Vale cinquemila dollari.»

«Non penso che dovremmo fumare nella stanza del malato, non è vero cara?»

«Stella, porta subito fuori quella sigaretta.»

Passavamo ore nel suo letto a parlare e ad accarezzarci, e non facevamo nient'altro. Gli facevo dei lenti pompini e lui mi portava all'orgasmo con le dita, mi diceva che presto mi avrebbe scopato, che ero una ragazzaccia cattiva, che il suo cazzo si sarebbe infilato nel mio culo, il mio culo sporcaccione da ragazzaccia cattiva. Io ero la sua ragazza, e avrei fatto tutto quello che mi avrebbe detto.

Avrei aperto le gambe e lo avrei preso, il suo cazzo duro dentro di me, il suo grande uccello duro. Piagnucolavo e dicevo che lo volevo subito, volevo il cazzo del mio Daddy dentro di me, ma sapevamo entrambi che non potevo averlo. Non ancora. Ci sussurravamo a vicenda parole di amore e di odio, ripetevamo i dialoghi sboccati di quei momenti intensi, dei bizzarri drammi passionali di quando entrambi potevamo essere ciò che volevamo, vale a dire irrefrenabili.

A volte io danzavo per lui. Iniziavo con indosso un pigiama babydoll e le ciabattine in pelo di struzzo prese da Frederick's a Hollywood. Me le aveva comprate Daddy, naturalmente, visto che era un pervertito.

Tiravo le pesanti tende damascate e spegnevo la luce, lui si sedeva contro una montagna di cuscini di cotone egiziano, un pubblico attento e bendisposto nei miei confronti. Il fuoco ardeva nel focolare e le candele tremolavano sui candelabri d'argento appoggiati sul comodino antico, e il tutto era reso più magico dagli specchi con la cornice dorata.

Lentamente, le gambe agili, le ciabattine ai piedi, incerta dapprincipio, finché la coreografia non era decisa, trovavo il mio stile. A ispirarmi erano più i *burlesque* che le lascive danzatrici di lap dance di Manhattan, e alla fine riuscivo a mescolare la sensualità dello strip con il personaggio della scolaretta giapponese, vale a dire che potevo spogliarmi per Daddy in una maniera che per metà ricordava una ragazzina che si toglie il pigiama per andare a letto e per metà una punk dal corpo snello e bianco e un tatuaggio sulla fica.

Danzavo nuda per lui, facevo oscillare le piccole natiche impudenti davanti al suo viso, ruotavo il bacino con lascivia, così che potesse vedermi la fica, annusarla, desiderarla; e poi mi allontanavo di scatto, piroettavo a distanza, figura pallida e nuda, fianchi esili, gambe sottili, bianchi seni tondeggianti, capezzoli scuri.

Ero brava a creare quella forma di intrattenimento privato. Spero di esserlo ancora. Avevo appreso l'arte dai miei amici gay. Daddy, quando era debole e malato, si rallegrava se mi esibivo per lui, era il suo show personale. Ero la schiava che intratteneva il sultano, facevo ciò che le donne hanno sempre fatto per i loro uomini, preliminari tersicorei.

Sentiva che il cazzo sconfortato recuperava le forze, e anche se ancora per un po' non avrebbe potuto scoparmi, per via della ferita, mi piace pensare di aver contribuito a fargli ritrovare la salute. Gli facevo vedere *Carry on* e lui mi faceva guardare il cricket. Avevamo sistemato il televisore in fondo al letto.

Quando rimanevo sola, mi sentivo frustrata per la sua invalidità; aveva perso il controllo ed era vulnerabile, non era più il protettore dominante, ma un convalescente che si stancava con facilità ed era ossessionato dagli orari e dalle dosi dei medicinali.

Posso presumere che i pazienti siano chiamati così perché provano a esserlo. Se io fossi nata con un istinto materno, la sua impotenza avrebbe potuto ispirarmi affetto incondizionato, ma non era così, mi seccava e, certi giorni, mi spaventava. Iniziai a rendermi conto che dipendevo da lui.

Cercai di non permettere ai miei difetti più vili di sovrastare le buone intenzioni e facevo del mio meglio per mostrarmi sua amica in quel momento di bisogno. Non era stata solo la ferita ad abbatterlo, ma anche la consapevolezza che Mandy si era preso gioco di lui. Aveva sbagliato a giudicarlo, lo sapeva, e questo fatto lo disorientava.

La polizia non trovò mai Mandy. Presumemmo tutti quanti che fosse partito grazie a uno dei suoi passaporti falsi. Daddy temeva che potesse ritornare, e cominciò a preoccuparsi della sicurezza. Assunse un uomo di nome Stan, un amico di Jimmy. Un tempo aveva fatto il poliziotto, ma avevano condiviso una cella nel HMP di Leyhill. Non scoprii mai cosa avesse fatto Stanley, ma Jimmy mi disse che stava seguendo "il programma". Intendeva che frequentava le riunioni degli alcolisti anonimi. Stan aveva una sessantina d'anni e non sembrava abbastanza alto per aver fatto il poliziotto, ma sapeva un sacco di cose sulle TV a circuito chiuso.

Installò telecamere e monitor, e il migliore allarme antifurto che i soldi potessero comprare. C'erano bottoni d'emergenza e nessuno poteva entrare senza prima essere visto. Perciò, si capisce, io mi mettevo davanti alla porta a seno scoperto per divertire Daddy, che poteva guardare le mie tette impudenti in bianco e nero sullo schermo.

«Non farlo» mi diceva. «Stan ti vedrà fare la stupida. E per l'amor di Dio, rimettiti la maglietta, non siamo in un bordello.»

«Pensavo che ti piacessero le mie tette.»

«Mi piacciono, ma non mi va che tutta la strada le veda, grazie.»

Io non pensavo che Mandy sarebbe tornato, ma la mia capacità di discernimento non era stata danneggiata da una coltellata nella gamba.

«Pensi che ti innamorerai di un altro uomo?» domandai a Daddy.

«Chi lo sa? Io sono suscettibile alla bellezza, come sappiamo entrambi. Mi lascio trasportare. La voglio comprare e possedere.»

«Forse dovresti limitarti all'antiquariato» dissi. «È più sicuro.»

«Forse hai ragione. Forse dovrei trascorrere più tempo a condurre te per mano. Piegati e lubrificati. Ti voglio.»

«E la ferita?»

«Me la caverò.»

«L'infermiera Grey si infurierà se strappi i punti.»

«Stai zitta.»

Mi sdraiai nuda con la schiena verso di lui, tra le sue braccia. Lentamente, con cautela, si lubrificò il cazzo duro e me lo spinse nel retto, dove lo tenne senza compiere alcun movimento, e io sentii, non per la prima volta, di essere totalmente posseduta da un potere superiore, insormontabile, un'energia totalizzante che penetrava a fondo dentro di me. Mi rilassai; non spinse, non pigiò né compì alcuna azione energica. Il cazzo rimase duro, fermo e silenzioso, e ciò mi permise di provare appieno la sensazione di averlo dentro. Poi, lentamente, Daddy mosse il bacino, si sospinse con delicatezza dentro e fuori, e io ero così giovane e indifesa, innamorata e vulnerabile. Mi sodomizzò in quel modo a lungo, e io raggiunsi dei luoghi che non si trovavano nella camera da letto, che non erano me, luoghi remoti nel tempo, ma privi di dettagli. Mi teneva le mani sulla parte posteriore del collo, sui capelli; le labbra sulla nuca. Venne.

«Ti amo, mia Stella» mi sussurrò vicino all'orecchio. «Non mi lasciare.»

Le lacrime mi riempirono gli occhi. Aveva bisogno di me. Ero confusa. Nessuno aveva mai avuto bisogno di me in passato, e questo risvegliò un istinto di ribellione i cui effetti mi avrebbero confusa e sconvolta. Non ne conoscevo il significato. Fino ad allora tutto era stato molto semplice, e ora le cose si complicavano. Davvero. Quali responsabilità doveva affrontare chi era oggetto del bisogno di qualcun altro? Cosa avrei dovuto fare? Dove sarebbe finita la mia giovinezza? Mi chiedeva di lasciare il mio bozzolo da Lolita per riemergere come una casalinga di Chelsea fatta e finita? Io non volevo che lui avesse bisogno di me e non volevo avere bisogno di lui. Mi sentivo spaventata, asfissiavo. Era come se una roccia fosse stata rimossa e adesso tutti i predatori potessero vedermi e staccarmi la testa con un morso. Era pericoloso senza essere eccitante. Realizzai di essere una codarda emotiva: avevo pensato di essere coraggiosa perché mi ero lanciata in avventure sessuali audaci, perché non sopportavo i limiti e giocavo d'azzardo con la mia anima sessuale senza preoccuparmi troppo né della posta né del risultato. L'unica cosa che desideravo era conoscere di più, ma solo entro l'ambito della sensualità. Non nella realtà. La realtà non era rilevante per me. E pensavo di essere interessata alla verità, ma non era vero. Ero attratta dalla fantasia e dalla fuga, e dal riciclo delle delusioni personali. Il bisogno di Daddy, la nuova realtà, portò tutto ciò in superficie, lo fece riemergere dalla vita interiore dove indugiava, e ora pretendeva di essere affrontato e si rifiutava di andarsene.

«Pensi che dovrei andare in analisi?» gli domandai in quel periodo.

«Non essere assurda» disse.

Daddy non riusciva a capire come avesse potuto permettere a un elemento pericoloso di insinuarsi nella sua vita, e io cosa avrei dovuto dire? Nessuno conosce le risposte ai misteri delle emozioni umane; possono esistere solo teorie interessanti e idee la cui validità si fonda sui riscontri dell'esperienza piuttosto che sulla logica della scienza. Lo trovavo sdraiato a letto, gli occhiali multifocali e diverse copie del «Telegraph» sparpagliate sul copriletto di seta, fissava la fessura di luce bianca che si insinuava tra le pesanti tende della camera da letto. Era immerso nei pensieri e ammutolito dalla tristezza, e io sapevo che era stato ferito dentro tanto quanto fuori.

«Non posso credere di essere stato tanto stupido.»

«Siamo tutti stupidi.»

«Dio. Andavo nei night-club. Ho cinquantatré anni. Com'è che non mi sono avveduto che stava accadendo? Se ne sono accorti tutti. Rodney mi ha ammonito mesi fa. Perché tu non hai detto niente? E penso che si sia portato uno dei vasi Sevres; valeva diecimila dollari, per dirla tutta.»

Io ero attonita. Non ho detto niente!? Era evidente che detestavo quell'uomo. Cosa voleva che dicessi?

«Di certo la scenata al ristorante avrebbe dovuto suggerirti qualcosa» risposi. «Io l'ho odiato a prima vista. L'ho odiato fin dal primo momento in cui sono entrata in casa e ho visto quella specie di pochette bianca che portava attaccata al polso. E l'ho annusato. Sapevo che era un bugiardo e un ladro. Te l'ho detto che Kevin sosteneva che avesse dato fuoco allo yacht di quell'uomo. Te l'ho detto.»

«Pensavo che tu fossi gelosa e che stessi cercando di sbarazzarti di lui. Devi ammettere che tu sei incline all'esagerazione. Furtarelli, sì, una condanna, sì, ma non certo una scena da *Miami Vice*. Io so da dove viene, ricordatelo, e Caracas non è terreno da picnic.»

«Era così diverso con me quando eravamo soli. Non era sempre come lo vedevi tu. Aveva una natura dolce, davvero... non mi guardare in quel modo, Stella, è così. Quando lo incontrai la prima volta faceva il cameriere, ma c'erano sorelle e fratelli che morivano di fame. Le mance non bastavano, perciò cominciò ad andare a casa con i clienti. Era bello e innocente allora. Proveniva da un posto dove i soldi sono la sopravvivenza, e dove fai tutto ciò che puoi per procurarteli. Si lasciò contaminare dalla gente che lo comprava, persone ricche, crudeli, stupide. Perciò quando è arrivato qui ormai era come loro.

È solo che io non potevo smettere di desiderarlo, non potevo e basta. E poiché non mi volevo frenare, mi rifiutavo di credere alle storie sul suo conto, soprattutto quando arrivavano da Kevin il parrucchiere.

Pensavo che Mandy fosse un po' indocile e, come sai, a me la ribellione piace come tratto della personalità. Dio sa quante volte ho dovuto averci a che fare con te.»

«Io non sono e non sarò mai uguale a quell'uomo» sottolineai. «Io non sono disonesta o avida. Io non sono viziata. A me non piace rendere infelici le persone. E mi vesto molto, molto meglio di quanto lui possa aver mai sperato di fare.»

Mostrai il falso diamante a forma di uovo che avevo iniziato a portare all'anulare destro. Le unghie non erano né lunghe né dipinte, perché Daddy non me lo permetteva. Gli piaceva che avessi le unghie corte e che mi lavassi le mani quando mi diceva di farlo, prima di cena e così via.

«Togliti quell'affare. Nessuno penserà mai che sei fidanzata, è evidente che viene da Butler and Wilson.»

«Kevin credeva che fosse vero. Gli ho detto che dopotutto tu hai dei legami con la De Beers.»

«Penso che abbiamo stabilito in modo convincente che Kevin non è molto dotato nelle aree chiave dei processi deduttivi.»

«Sciocchezze. È un ottimo ballerino – molto più bravo di te – e un magnifico parrucchiere.»

«I suoi capelli non pubblicizzano né l'una né l'altra di queste cose» disse Daddy, e non era la prima volta. Aveva da obiettare sui capelli di Kevin solo perché erano gialli e pettinati con un ciuffo sulla fronte.

Era un omaggio a Billy Idol, perfettamente accettabile dal mio punto di vista, ma Daddy condannava Kevin per via della pettinatura.

«Kevin fa anche i miei capelli» gli rammentai. «E io ho sempre un aspetto adorabile, come penso che converrai. Non c'è niente che non possa fare con un caschetto alla Louise Brooks.»

Daddy mi scostò i capelli dal viso con il dito. «Tu hai sempre un aspetto adorabile. Non sei la mia brava ragazzina?»

«No, non lo sono.»

Sorrise. «Ci divertiremo quando starò meglio» disse. «Magari andremo via.»

Ci rilassammo. Dovevamo. E sebbene ci fossero molti momenti di conforto fisico e tranquilla amicizia, e risate, c'erano anche delle volte in cui mi sentivo stringere il petto e un urlo mi cresceva in gola. Soffrivo di mal di testa. Desideravo scappare, correre o volare attorno al mondo, attraversare i campi a piedi o i mari a nuoto. Fuggire. Fuggire. Fuggire. Lavavo la biancheria, gli servivo la cena sul vassoio, giocavo con lui ai giochi da tavolo. Io fissai il limite ai cruciverba, e lui al Cluedo.

«Non si può giocare in due.»
«Jimmy può unirsi a noi.»
«Non è appropriato. Fai silenzio. Ho bisogno di dormire.»
«Posso vedere una cassetta di *Guerre Stellari*?»
«No.»
Ero così brava. Ma a volte non riuscivo a trattenermi e mi sentivo obbligata a irritarlo per ottenere una reazione. Mi lamentavo e piagnucolavo. È sorprendente che non perdesse mai le staffe.
«Stella, sei annoiata, esci a giocare» diceva.
«Non voglio.»
«Fai come ti dico. Vai a giocare, ci vediamo domani.»
«Posso avere la carta di credito?»
«No.»
«Ma...»
«Stella, non discutere.»
«Posso avere un cane?»
«No. Ne abbiamo già parlato. Puoi avere un coniglio.»
«Io non voglio un coniglio, voglio un cane. Perché non posso avere uno di quei cuccioli che ci sono da Harrods?»
Daddy sospirò. «Ci penserò.»
«Urrah!»
«Dopo vorrai avere un bambino» disse, per avere l'ultima parola, e ottenne il risultato di farmi scappare dalla stanza urlando.
Pensai di prendere la carta di credito e di comprarmi un cucciolo, ma avrebbe significato rubare, e chi voleva essere come Mandy? Sospettavo che se avessi portato un cucciolo nella casa di Cheyne Walk mi sarebbe stato

permesso di tenerlo, ma non volevo ferire Daddy né approfittare di lui. Aveva bisogno che fossi sensibile, e io facevo del mio meglio per assecondarlo.

Scendevo in qualche club seminterrato con i miei amici, andavo a vedere una band dark, compravo libri o mi aggiravo per il mio appartamento scribacchiando sui diari e cercando di capirci qualcosa.

Era raro che Daddy analizzasse il comportamento o le emozioni umane. Era in grado di risolvere criptici rompicapo e ricordare lunghi e noiosi versi di Tennyson, o quanto gli fosse costata nel 1978 una prebenda a Chalfont St. Giles, ma non era capace di affrontare la complessità politica della relazione tra i generi. Né desiderava farlo. Sospetto che non la affrontasse da vicino per paura di scoprire qualcosa di sé che non ambiva conoscere. Cambiava sempre argomento se io affrontavo il tema del suo bisogno di farmi da padre.

«Non è sexy parlarne» diceva. «Proprio come non è sexy osservare un capezzolo al microscopio. Il sesso non può essere erotico senza un elemento di mistero. Mangia il gelato.»

Perciò mi lasciava sola a trarre le mie conclusioni.

Pensai molto alla sottomissione e a come fosse centrale per il buon esito del processo riproduttivo. Il corteggiamento in natura è una questione di piume e frenesia, ma, mantidi a parte, la femmina deve accettare il maschio, e rimane immobile e altezzosa allo scopo di ricevere i geni di lui. Negli anni Ottanta alcune scrittrici femministe, provocatorie e lucide, descrissero la relazione fra trasgressione e autorealizzazione. Come molte ideologie, il femminismo puro nega gli istinti. Così come il comunismo era inficiato dalla negazione della cupidigia, il pensiero femminista chiedeva alle donne di negare la propria autentica natura e non teneva in considerazione né la sessualità come fatto biologico né la storia colma di messaggi volti a promuovere ideali estetici. Non sorprende che la maggior parte dei dogmi provenissero dal ghetto lesbico, dove era meno probabile che le donne sentissero il bisogno di avere un uomo o dei figli, ed erano più facilmente disposte ad accettare un concetto alternativo di bellezza.

Cosa potevo fare? A me piaceva il sesso e desideravo praticarlo; non avevo alcun desiderio di maternità, ma c'era comunque un problema. Dovevo ricevere. C'era da aspettarsi che perseguissi una ideologia di indipendenza, ma per potermi godere il sesso dovevo sottomettermi.

A volte mi domandavo se le organizzazioni antiporno e pro-vita avessero ragione e fosse tutta una questione di stupro; se, visto che non avevo alcun controllo sull'energia e sulla forza degli impulsi maschili, avevo approntato un sistema di difesa che mi permettesse di essere violentata sotto l'apparenza del mio consenso. Di sicuro avevo la sensazione che la penetrazione violasse un'intimità essenziale, che le terminazioni nervose dell'utero fossero collegate con un territorio di inesplicabile emotività, di storia dimenticata, e provavo un bisogno consapevole di proteggere tutto ciò. Mi domandavo se introdurre complessi e drammi che potevano essere tenuti sotto osservazione fosse un modo di cui si serviva la mente consapevole per permettere una violazione essenziale.

Una cosa la sapevo con certezza.

Non era semplice.

Non parlavo di queste cose con Daddy. La ninfetta è

una musa: non parla, non ragiona, deve provocare e sedurre, incitare e ispirare. Daddy non voleva una con austeri collant neri, voleva calzette corte bianche. Lo sapevo. Non mi disturbava particolarmente, anche se avrei voluto che da lui sgorgasse tutta la conoscenza, che mi dicesse la verità, cose sagge che mi aiutassero a sviluppare un'indispensabile struttura filosofica entro la quale organizzare la mia vita.

Quando non mi offriva risposte, la confusione mi induceva a separarmi da lui. Volevo che sapesse ogni cosa, non intendevo capire da sola; desideravo che mi venisse detto tutto. Volevo sapere cosa fosse giusto e cosa sbagliato. Perché volevo un Daddy? Perché non ne avevo uno? Perché, al nocciolo, molte donne si sentono abbandonate in un modo o nell'altro, visto che persino le più fortunate, con dei bravi papà, debbono patire una separazione? Perché ero in contatto con la mia anima sensibile e non avevo paura di perseguire ciò che desideravo? Perché ero ritardata e pazza e masochista e lui era un'occasione?

Ignoravo se esistessero altre donne che mettevano in atto simili scenari. Mi sentivo sola nel nostro gioco dell'età, ma non credevo neppure di essere l'unica a desiderarlo. Niente lasciava presupporre che il mio comportamento potesse in qualche modo essere considerato universale, se guardavo le donne degli anni Ottanta che avevano scelto di lasciarsi alle spalle la ragazzina che erano e di attribuirsi il potere dell'Alexis di *Dynasty*. Ma se avessi guardato le donne di adesso? Dell'inizio del ventunesimo secolo? Hanno trasformato il loro corpo fino a sembrare ragazzine di dieci anni: grandi occhi sporgenti, niente fianchi, niente tette, bicipiti da Belsen. Si sono trasformate in preadolescenti. Cosa ci dicono con la loro postura regale? Dicono: "Siccome non sono in grado di gestire il potere reale che è stato conquistato per me da donne reali, esercito il potere sul mio corpo. Ho tutto, ma non ho niente. Sono una ragazzina. Indosso abitini da ragazzina che compro in negozi per ragazzine. Occupatevi di me. Sono troppo giovane per trovarmi un lavoro; il mio corpo non può avere figli, e sono troppo giovane per scopare. Mi ricorda gli anni della giovinezza, quando eravamo troppo ubriachi per scopare".

Daddy mi permetteva di essere qualunque cosa volessi essere. Mi permetteva di mettere in scena la vecchia rabbia e la confusione, e mi puniva quanto bastava perché potessi liberarmene. Mi perdevo nel dolore, nell'esibizione e, così facendo, mi ritrovavo. Potevo essere spontanea, e questa spontaneità mi caricava di sensualità.

Quando Mandy se ne andò, io avevo passato da parecchio i vent'anni, m'incamminavo verso i trenta, sebbene non osassi pensarci, poiché trenta era un'età inaccettabile per quanto mi sforzassi di immaginarla. Ero terrorizzata all'idea di essere una persona di trent'anni. I genitori e gli insegnanti avevano trent'anni. Avrei dovuto smettere di pettinarmi da ragazzina? Avrei dovuto trovarmi un lavoro?

Alcuni dei miei amici cominciavano a trovare dei veri impieghi e persino ad avere successo. Mi domandavo se sarei stata in grado di ottenere un lavoro, ma non riuscivo a immaginare cosa avrei potuto fare. Nessuno della famiglia Black ha mai avuto un lavoro, siamo inadatti al lavoro, ricchi e sbronzi.

Non esisteva la cultura dell'impiego redditizio, nessuna etica dell'impegno nei geni dei Black. I pochi parenti in cui mi ero imbattuta, passavano le giornate alle corse o si occupavano delle sempre più ridotte proprietà terriere, che vendevano per pagare le scommesse. Gli altri se ne stavano accanto al camino vestiti di velluto. Alcuni di loro costruivano dei recinti attorno ai loro campi. Le donne, siccome erano belle, si erano sposate bene e si erano moltiplicate.

Si poteva dire che la loro esistenza non avesse senso alcuno, ma io ho sempre pensato che l'esistenza non abbia senso alcuno, che tu abbia o meno un lavoro. La vita non è che un mucchio di ore da riempire in attesa della morte; pochi fortunati offrono un contributo importante, perché compiono passi avanti in campo medico o salvano delle vite umane, ma io non sarei mai stata qualificata per combinare alcunché che avesse una genuina importanza. Accettavo il dato di fatto e non mi importava, e tanto meno mi sentivo indotta a recarmi all'ufficio di collocamento. Desideravo ancora il mio Daddy, ma la convalescenza aveva compromesso la fantasia e cominciava a rivelare brandelli di realtà. Non erano benvenuti, ma arrivavano e andavano accettati. Iniziavo a vedere le cose.

Preferivo i giochi di ruolo all'intimità che si presume compaia con le cosiddette relazioni mature. Io non sapevo cosa fosse l'intimità; immaginavo che fosse correlata a qualche scenario domestico che prevedeva una certa benevolenza nei confronti degli odori, dei fluidi e dei difetti del carattere. Sospettavo che anche il bucato c'entrasse qualcosa.

Avevo permesso a Daddy di scoprire una parte importante di me e mi ero resa più vulnerabile di quanto non faccia molta gente. Ero la sua bambina, dopotutto; avevo svelato quell'aspetto, e avrei potuto facilmente divenire la vittima di abusi e crudeltà.

Mi domandavo se i ruoli che avevamo creato per comunicare tra di noi avessero avuto tanto successo da trasformarci in quelle figure. Per cinque anni ero rimasta bloccata dalle mie scelte; trovando un papà mi ero fermata dov'ero e mi ero sviluppata in maniera anomala. Mi sentivo un'attrice incapace di allontanarsi dal personaggio creato per se stessa, un personaggio nel quale si trovava a proprio agio ma che anche, in un certo qual modo, la imprigionava.

Ci riflettevo, ma non me ne preoccupavo granché. Non mi sono mai preoccupata molto di nulla, ero davvero giovane quando avevo imparato quanto fosse scarso il potere che una persona può esercitare sugli eventi e sugli individui. Forse ero troppo passiva, di sicuro pigra. Preferivo essere la *Daddy's girl* piuttosto che compiere uno sforzo qualunque per uscire nel mondo spettrale popolato da yuppy, donne con la permanente e ragazzini della City che si autocelebrano. Ero al sicuro nel santuario di Daddy e desideravo rimanerci, un posto caldo e confortevole, con il sedere sculacciato e la fica piena.

La politica economica della Thatcher aveva fatto insorgere la cultura del denaro come simbolo del successo, ma il mio *milieu* era bohémien e autoindulgente. Non avvertivo il bisogno di dimostrare alcunché, né di espormi su un palcoscenico pubblico per sentirmi legittimata. Non volevo neppure andare in televisione, cosa di per sé insolita. Tutti quanti volevano andare in televisione, senza rendersi conto che sarebbero sembrati assurdi. Voglio dire, avete mai visto qualcuno della televisione nella vita reale? Sono tutti bassi, arancione e sinistri. L'unica domanda è se fossero bassi, arancione e sinistri prima di andare in televisione, o se esista un processo biochimico per il quale andando in televisione si acquisiscono tali caratteristiche. Magari è un fenomeno che ha a che vedere con la luce.

Daddy non mi domandava mai se intendessi procurarmi un impiego retribuito, e se ero io ad affrontare l'argomento, lui tendeva a opporsi. Sospettavo (nei miei momenti più cupi) che lo facesse per mantenere il controllo. Iniziai a dubitare che il personaggio del papà vittoriano vecchio stile nascondesse davvero un papà vittoriano, che ci trovassimo di fronte a una sorta di doppio bluff. «Certo che le donne possono lavorare, se lo desiderano, se devono. Hanno lo stesso diritto di farlo di chiunque altro. Ma non ho mai avuto l'impressione che questo le rendesse più felici» diceva compiaciuto. «Alla prima scusa che trovano scappano via, fanno dei bambini e si aspettano che sia l'uomo a pagare per tutto.»

«Un giorno potrei desiderare di avere un lavoro» suggerivo.

«Perché dovresti volere una cosa del genere? Non hai bisogno di soldi.»

«Non lo so. Perché lo fanno tutti?»

«Non avrei mai pensato che fossi una che aspira a unirsi al gregge.»

Questo era vero.

«Comunque, cosa faresti?»

«Ho una laurea... potrei insegnare.»

Ridacchiava in maniera un po' sgradevole e tornava al suo romanzo di Dick Francis.

Il mio amico Conrad aveva un punto di vista opposto. Mi rimproverava sempre perché ero una debosciata. Lo conoscevo da anni. Viveva vicino a noi in campagna e i suoi genitori ogni tanto mi prendevano con loro quando la nonna scompariva o, certe volte, veniva portata via.

Era diventato un giornalista d'inchiesta molto apprezzato e si era costruito una reputazione per aver infastidito lo Sinn Fein. Conrad era un individuo rispettato e conosciuto. Era persino apparso in televisione senza divenire arancione.

Aveva combinato qualcosa nella vita e non riusciva a capire perché io scegliessi di fare così poco.

«Sei brillante e coraggiosa» mi disse una sera mentre bevevamo una bottiglia di vino nel mio appartamento. «Perché non fai nulla di utile?»

«Mi sono fatta un tatuaggio sulla fica, uno scorpione.»

Avrei voluto mostrarglielo, e lo conoscevo abbastanza bene per sapere che avrebbe desiderato vederlo – chi non l'avrebbe voluto? – ma lui finse una maturità da statista.

«Buon per te» disse. «Devi essere molto orgogliosa. Cos'altro combini?»

«Mi faccio portare a letto.»

«È un lavoro a tempo pieno, vero?» Mi guardò con i suoi occhioni onesti e castani.

«Dio, sei prepotente» ribattei. «Sì, lo è, ora che me lo dici.»

«Come sta tua nonna?»

«Non lo so, è stata meravigliosamente volgare con me l'ultima volta che l'ho chiamata, e non ci parliamo da allora.»

«Quando è successo?»

«Due anni fa.»

Espirò e assunse un'espressione di stupore rassegnato. «Voi Black» disse.

«Cosa intendi?»

«Be'.»

«Be' cosa?»

Non si sbottonò, e io percepii delle verità tanto terribili che neppure Conrad avrebbe potuto pronunciarle. Fortunatamente per il mio equilibrio mentale non si faceva vedere molto spesso, dato che era impegnato in pericolosi lavori in incognito utili e illuminanti.

Un giorno mi presentai a Cheyene Walk e fu subito chiaro che Daddy si sentiva molto meglio.

«Hai il trucco sbavato. Sembri una sgualdrina.»

«Non quella sgualdrina di Joanna, spero.»

«Non rispondere.»

Indossavo dei pantaloncini corti, perciò doveva essere estate. Pantaloncini corti e una maglietta strappata, ricordo, con un paio di anfibi di tela di Patrick Cox rossicci e marrone. Daddy e io li avevamo visti in una vetrina in Sloane Street mentre lo spingevo in giro sulla sedia a rotelle.

«Vai a farti un bagno e non tornare in questa stanza finché non ti sei ripulita.» Stava decisamente meglio. «Con chi hai giocato? Con dei ragazzi impetuosi?»

Si dà il caso che non l'avessi fatto. I ragazzi della mia età erano tutt'altro che impetuosi. Si mettevano il rossetto e si occupavano di arte. Erano molli e adorabili, e non erano in grado di aprire una bottiglia di vino senza stirarsi qualche muscolo. Sceglievano grandi automobili ma erano incapaci di ripararle. Indossavano abiti e Doc Martens, e conoscevano la data della morte di Poe. Dio sa dove andavo a scovarli. Se scomparivano, era per attraversare l'America in auto o per girovagare a Berlino. Leggevamo tutti *Meno di zero* e lo condividevamo. Ci scattavamo polaroid a vicenda e la gente cool aveva visto *Liquid Sky* e conosceva Lydia Lunch.

«Non ho giocato con nessuno» dissi. «Ho giocato da sola. Comunque, se c'è uno che gioca con i ragazzi impetuosi quello sei tu!»

Non ci fu risposta. Erano le quattro del pomeriggio e io ero passata per il tè, mi aspettavo un bacio e una fetta di torta. Daddy era fuori dal letto e girava per la stanza sulla sedia a rotelle. «Puoi bere il tè, poi sali di sopra, ti lavi quello schifo dalla faccia e torni giù.»

Prendemmo il tè. Ero un po' accaldata, cominciavo a bagnarmi. Mi accarezzai.

«Smettila, Stella. Vai di sopra.»

Tornai da lui pulita. Viso pulito, fica pulita. Tutto pulito. Ero nuda sotto il suo accappatoio blu marino di St. Laurent.

Lui era in vestaglia e pigiama, sulla sedia a rotelle, accanto al fuoco, acceso nonostante la serata non fosse fredda. Il salotto era composto da due stanze collegate. C'era un tappeto color crema, tende pesanti di seta argento e giallo, carta da parati a righe, tavoli d'antiquariato sui quali c'erano delle lampade con paralumi decorati con pompon. In un angolo c'era la statua di un moro con il turbante dorato in testa e un vassoio d'oro in mano. Se ne vedono in giro di questi schiavi pacchiani, non conosco la loro origine storica e non mi interessa. Ricordo solo che non mi piaceva, così come non mi piaceva il portaombrelli a forma di zampa di elefante, che aveva ereditato e per il quale non mi aveva mai chiesto scusa. Le mie opinioni politiche, così com'erano, erano liberali, tendenti al libertino. Erano influenzate dai Clash, dai Frank-N-Furter e dalle foto dei prigionieri liberati dai campi di concentramento. Dal mio punto di vista Daddy non si poneva abbastanza domande. Di certi argomenti non parlavamo. Forse avremmo dovuto. Una volta pisciai come una punk nel portaombrelli a zampa di elefante e lui mi frustò il culo così tanto che dovetti sedermi su un cuscino per una settimana, la stoffa mi pizzicava le natiche rosse nude e mi procurava un prolungato e intenso stato di eccitazione con il quale lui giocava a proprio piacimento. Non so se il mio gesto possa considerarsi un'efficace azione diretta di protesta, ma l'orribile portaombrelli venne relegato nel ripostiglio.

«Vieni qui.»

Camminai verso di lui.

«Mettiti in piedi di fronte a me.»

Mi misi in piedi di fronte a lui, mi sfilò l'accappatoio e mi lasciò nuda.

«Dio, sei bellissima.» Mi infilò una mano tra le gambe. «Hai accorciato il boschetto.»

«Sì.»

«Si vede il tatuaggio, che sei andata a farti fare senza il mio permesso.»

Mi ero dimenticata dello scorpione sopra il pube. «È carino, non è vero?»

«No.»

«A tutti gli altri piace.»

«Cosa significa: tutti gli altri? Chi l'ha visto?»

«Kevin il parrucchiere, e l'ho mostrato al signor Patel dal tabaccaio. Mi ha scattato una polaroid.»

Non dissi a Daddy di Stephen, lo scopatore dark. Non volevo prendermi la briga di spiegare. E, a differenza di alcuni uomini, lui non era eccitato dalla gelosia sessuale. Avrei potuto ferirlo con l'argomento Stephen, per divertimento, se non fosse già stato quasi pugnalato a morte. C'è un limite a quello che un uomo può sopportare. Mi divertiva il fatto che Daddy non volesse che vedessi altri uomini; mi faceva sentire al sicuro.

Era riuscito a ottenere la monogamia senza soffocare il mio spirito, una conquista molto sottile. Non sapevo se ne fosse o meno consapevole; probabile che no. Non pensava a ciò che faceva in modo molto dettagliato, a meno che non si trattasse della minuziosa coreografia di una delle nostre sceneggiate.

Lo scorpione tatuato rammentò a entrambi un periodo in cui tra noi si era istituita una notevole distanza, tanto grande che ci eravamo quasi perduti a vicenda. Lo scorpione non era il suo marchio, sfidava il suo possesso. Non era una cosa negativa, aveva sortito l'effetto desiderato, che era quello di irritarlo.

Pizzicò lo scorpione con due dita, abbastanza forte da farmi strillare.

«Piegati davanti a me. Ti voglio esaminare.»

Gli spinsi il culo verso il grembo e unii le punte dei piedi. Si leccò un dito e me lo infilò lentamente nel retto. Mi portai una mano alla fica e infilai tre dita; mi bagnai subito.

«Sono seccato con te, Stella.»

«Lo so, Daddy.»

«E non soltanto per il signor Patel, che avrebbe dovuto evitare. Voltati.»

Mi alzai in piedi e lo guardai dall'alto. Lui levò lo sguardo. Era sulla sedia a rotelle, ma era una presenza, ed era in grado di alzarsi, perciò non lo trovavo vulnerabile, bensì forte e arrabbiato. Sapevo che le avrei prese. E sapevo anche che sarei stata scopata.

«Mi scoperai?»

Si indicò il grembo. Si era messo un paio di guanti di

pelle. Perciò eccolo lì, pigiama di Brooks Brothers, vestaglia di seta, pantofole, sedia a rotelle, guanti di pelle. Non avrebbe potuto essere più perverso.

«E la ferita alla gamba?»

«Stai zitta, Stella, o ti imbavaglio. Fatti inturgidire i capezzoli.»

Giocherellai con le tette.

Aveva una spazzola e mi percosse, per dieci minuti almeno, mi sculacciò fino a farmi diventare il sedere rosso.

«Ahia. No.»

«Sì, Stella.»

Pam, pam, pam. L'interminabile rossore del dolore e del piacere.

«Fammi vedere il sedere.» Fissò la pelle vellutata striata di rosso, estrasse il cazzo eretto dal pigiama. «Ora vieni e siediti sopra di me.»

Io sono agile e riuscii con facilità a sedermi a cavalcioni sopra di lui, sulla sedia a rotelle. Lo strofinai con la passera, su e giù, muovendo il culo rosso come un pistone, accarezzandolo con i muscoli interni, baciandogli il cazzo con la fica, finché non fremette dentro di me.

«Brava ragazza.»

Rimpiango spesso di non avere una foto di quel momento.

Stella e Daddy e la cabrio-perversione.

Poco dopo mia nonna morì e dovetti tornare nel Wiltshire.

9

1987

La nonna morì nel 1987. Il mio ritorno nella sua casa è descritto nel diario di quell'anno con le frasi: «R.I.P., nonna» e «Niente banane». Gli appunti a volte sono scarabocchiati e criptici, a volte lucidi in maniera preoccupante. «Balivi» per esempio mi ricorda che erano arrivati, erano andati e si erano portati via il tavolo della sala da pranzo. C'è una foto di Owen, il terrier a pelo ruvido, e varie caricature di diversi parenti, perciò è possibile descrivere, con una certa precisione, cosa accadde.

Dovetti dormire nella stanza della mia infanzia, e fu un'esperienza sinistra. Fui costretta a sdraiarmi sul letto singolo, con il copriletto azzurrino di ciniglia, e fissare la tappezzeria a fiori ormai scolorita.

Ci fu il tempo di riflettere sul passato, su quelle terribili scene di solitudine e confusione ai tempi della scuola. Le immagini fluttuavano, sgradite, attraverso gli occhi della mente: gli insegnanti irsuti, il cibo rivoltante, il latte giallognolo; un ratto nel gabinetto del piano di sotto; denti storti; la divisa della scuola perduta; i poemi dimenticati; uova liquide, pesce al forno, margarina; obbligo di cantare; odore che ti fa venire da vomitare. E la paura. Paura. Paura. Paura. Non sapevo mai dove andare a nascondermi. L'ampio guardaroba, dipinto con la tinta magnolia gocciolante, cigolava di sua spontanea volontà ed era colmo di mutanti; sotto il letto neanche a parlarne; dentro al letto, senza alcuna logica, ero al sicuro.

La gente si dispiaceva per me, certo. Ero un'orfana dopotutto. Perciò a volte la facevo franca quando combinavo qualcosa. Mi ricordo che mi allontanavo con i giocattoli di un altro bambino, e me li lasciavano tenere. Allora non mi veniva imposta nessuna disciplina, ironia della sorte. Nessuno mi diceva mai cosa dovevo fare; ero libera e sregolata, divenivo sempre più selvaggia ogni anno che passava. Ero in cerca di limiti, immagino, quando incontrai Daddy: limiti, amore e piacere.

Ricordavo l'erotismo astratto dell'infanzia; allora non lo riconoscevo, ma con il senno di poi le cose assumono un significato maggiore, ma solo un po'. Non venivo mai toccata, né in modo buono né cattivo. Di certo non venivo mai abbracciata, perciò a volte mi gettavo addosso alle persone. Il padre di Conrad aveva l'abitudine di sollevarmi e di farmi girare e ridere. Perciò penso che cominciai ad associare le manifestazioni fisiche dell'affetto con le scariche di adrenalina. Ed ero molto innamorata del padre di Conrad. Il mio amico in seguito mi disse che i suoi genitori erano sinceramente preoccupati per me, ma che c'era poco che potessero fare in proposito.

Trovai un grazioso vasetto della Halcyon Day con dentro i miei capelli. Avevo attraversato una fase in cui me li strappavo, ciocca dopo ciocca, confortata dalla compulsione. Piccoli ciuffi neri. Nessuno se ne accorgeva, e io ne ero lieta. Senza controllo, potevo strapparmeli quanto volevo. Non lo facevo per attirare l'attenzione; lo facevo perché dovevo, e mi avrebbe irritato sapere che qualcun altro sarebbe stato coinvolto in questo processo autodistruttivo e gratificante. Avevo dieci anni o giù di lì.

C'era uno scaffale con tutti i libri di Enid Blyton, tra i quali molti rubati, poiché questa era la mia dote principale: rubare dai negozi di libri. Avrei voluto lavorare a maglia e suonare il piano, ma non mi era stata offerta nessuna di queste due opportunità, perciò rubavo nei negozi. Avevo bisogno di qualcosa da fare con le mani, Vostro Onore.

C'erano tutti gli Enid, tutti i crimini puniti, tutte le morali limpide, tutti i sederi arrossati da mani autoritarie. Il mio primo porno. La mia prima esperienza con le meraviglie della crudeltà rivelata nelle parole scritte. Esiste un sottogenere di fumetti sexy che si chiama Bondage Fairies, le fate della schiavitù, lo sapevate? Qualcuno francamente dovrebbe scriverci un saggio.

Mi diplomai su *Beano* e cose del genere, dove i bambini venivano puniti, poi passai a Dickens e Golding e *Black Beauty*, che erano altrettanto appaganti per le medesime ragioni, colmi di sadismo e capaci di incutere un timore ben definito per coloro che avevano bisogno di apprendere e accettare l'intera gamma delle crudeltà.

Una casa delle bambole malridotta conteneva quaranta troll di diverse dimensioni e colore dei capelli. C'era un orsacchiotto a cui non posso neanche pensare, figuriamoci scriverne.

C'erano degli scarponcini Wellington e un paio di

scarpette da ballo, quaderni e un righello che arrivava dalla Nuova Zelanda. Non potei fare a meno di guardare il righello e domandarmi se Daddy sentisse la mia mancanza.

C'erano vecchi tubetti di idrocortisone in crema, che mi era stato prescritto per l'eczema sul viso, e la montatura degli occhiali (senza lenti) che avevo portato per anni in omaggio a Brains di *Thunderbirds*.

Ai tempi guardavo la televisione sull'apparecchio in bianco e nero nel salotto della signora Erin. La nonna non guardava la televisione; ascoltava la radio e ballava da sola. E leggeva per ore.

Io condividevo l'esperienza di *Dr Who* con il (defunto) signor Erin, che elevava notevolmente il livello della paura gridando "sterminare" che ci fossero o meno i Dalek nell'episodio, poiché era sua convinzione che loro fossero in tutte le puntate. Si era spinto anche oltre con queste inutili teorie e mi aveva detto che l'autore di *Dr Who* nella vita reale era morto annegato. Il Cyberman, gli Yeti e i Guerrieri di Ghiaccio erano realmente nascosti in qualche bunker a Londra.

Tutto ciò non contribuiva a ridurre l'attività ossessivo-compulsiva, basata sulla paura, nella quale ero già coinvolta, e cominciai a guardare ogni cosa con sospetto per evitare di essere attaccata da veri robot provenienti dalla stazione di Waterloo. Tenni tutto sotto controllo finché non andai in collegio dove, costrette a mescolarsi con la folla, le profezie di Erin scomparvero.

Con indosso gli occhiali senza lenti della mia infanzia, frugai in camera da letto della nonna e nell'armadietto delle medicine, dove ero sicura, e speravo, ci fosse un filone madre di psicofarmaci. I balivi non li avevano presi, nonostante dovessero valere migliaia di sterline per la strada.

Raccolsi le boccette marrone tintinnanti, un centinaio di flaconi, alcuni datati 1957, e le misi nella valigia, dove avrebbero atteso di intervenire per sostenere il mio spirito, riserva di speranza e via di fuga. Non ero priva di pensieri suicidi, sebbene non fosse la morte della nonna a ispirarli. Non ne avrei sentito la mancanza, dato che non la vedevo da cinque anni; non avrei avuto bisogno di lei, visto che non mi aveva mai fornito il sostentamento. Ero cresciuta senza aspettative, per cui non ero mai stata delusa. Ma era calata su di me una cupezza, una nube scura di malinconia che avvolgeva ogni cosa e le cui ondate sarebbero state tenute a bada dalla gloriosa alchimia delle droghe della nonna. Le Droghe della Nonna: sarebbe stato un bel nome per un gruppo, più anni Sessanta che Settanta, forse.

Non so quale malattia fosse stata diagnosticata alla nonna, ma aveva pillole per qualsiasi sintomo potesse colpire il corpo umano, dall'emicrania al tremore alle gambe, dall'artrite all'insonnia, dal mal di cuore al singhiozzo.

C'erano analgesici (oppiacei e non-oppiacei), benzodiazepine e barbiturici, derivati del cloralio e antidepressivi. C'era una gamma di MAO1 e tutti i generici, così come gli ansiolitici e i sonniferi. C'erano alcuni terribili stimolanti, nella forma di dexamfetamine e l'antipsicotico Serenase, che presi per primo, solo per il nome, e combinai con le capsule a rilascio modificato di idrocloruro idromorfone. Immagino che la signora Erin mi abbia trovata un po' rallentata mentre mi aggiravo per la cucina, con il sistema nervoso sedato, un bicchiere di vino bianco in mano, la sigaretta nell'altra e mi godevo una poco familiare sensazione di ottimismo.

«Penso che diventerò tossicodipendente» dissi, come se la volessi informare delle mie scelte di carriera.

«Il cordoglio è una cosa buffa» rispose. «Coglie le diverse persone in maniera differente.»

La stessa signora Erin, che aveva navigato attraverso la morte del marito senza una lacrima, era devastata dalla morte della nonna che lei descriveva, in maniera del tutto incoerente, come una «gran brava donna».

"Brava in cosa?" pensai. A guidare mentre era sotto l'effetto dell'alcol? A giocare a croquet nella neve? A collezionare piume? A suonare il piano giocattolo? A percuotere i creditori con un vetusto ombrello? A tagliare la testa alle rose prima che fossero morte?

Così come nei primi anni di vita avevo ammirato la mia parente, adesso che era scomparsa scoprii di essere arrabbiata con lei, come se nella migliore delle ipotesi mi avesse insultata e nella peggiore tradita.

Il "cordoglio" prese la forma di un crescente risentimento nei confronti delle sue manchevolezze, e non assunse i toni della nostalgia e dell'affetto rispettoso, che per solito colorano queste dipartite.

La signora Erin, comunque, singhiozzava in maniera incontrollata e rumorosa, in una serie di fazzoletti ricamati, la cui misura da signora era troppo piccola per contenere le lubrificazioni della tristezza. Ne faceva delle pallottole che infilava nella manica del cardigan, dove formavano delle grumose file, come se le braccia avessero sviluppato una serie di tumori.

A quanto pare c'erano stati una tenda per l'ossigeno e l'osteoporosi. Nessuno mi aveva informato. Era stata la nonna a chiedere di non farlo; sospetto non per risparmiarmi, ma perché non voleva che la vedessi debilitata e poco attraente.

La signora Erin aveva vestito la morta e disse che sebbene «la signora B avesse un aspetto terribile», era «felice come Larry». Era da parecchio che desiderava morire, e con l'avvicinarsi del sollievo finale era diventata tutta sorrisi, è quello che disse la signora Erin, e io le credetti.

La nonna aveva lasciato alla signora Erin uno di quei grandi mucchi di contanti che teneva nascosti in giro per la casa. «Mi ha dato un biglietto in ospedale, signorina Stella» mi disse. «Diceva dove l'avrei trovato. Pensa che sia tutto a posto? Sa, con la legge.»

«Ne dubito» risposi. «Ma non credo che dovremmo preoccuparcene. I soldi sono tuoi, la nonna voleva che li avessi tu, e Dio sa se te li sei guadagnati.»

La signora Erin le aveva letteralmente salvato la vita in diverse occasioni.

Dimenticai di domandare a quanto ammontasse la cifra, ma la signora Erin parlò di comprare una casetta a Hove, perciò mi aspetto che fosse un bel po' di denaro.

«Si porterà Owen, vero, signorina Stella?»

«Certo» dissi.

«Morde, anche se ora ha meno denti, certo.»

«Lo so.»

«Il signor Tremeloe ha minacciato di spararg li.»

«Davvero?»

«Letizia, la figlia della signora Forbes, ha dovuto fare l'antitetanica.»

«Accidenti.»

«Non ci saranno problemi se non gli avvicinerà il viso al muso. Potrebbe staccarle il naso. E non lo prenda in braccio, signorina Stella, non gli piace. Anzi, cerchi di non toccarlo, probabilmente è la cosa migliore.»

Nell'infruttuoso tentativo di conquistare Owen, lo portai in giardino. Mi sedetti sulla panchina con una lattina di birra, un paio di diazepam e una Marlboro light, tutti vizi che si realizzavano appieno ora che non c'era Daddy in giro a censurarmi. Daddy. Dov'era? A Hong Kong per affari. Si era scusato ma non aveva annullato l'impegno.

«Vaffanculo allora» gli avevo detto.

«Non essere stupida, Stella. Starò via solo un paio di settimane. Non vuoi che Jimmy ti accompagni alla stazione?»

«No.»

Sospirò, paziente paparino con la sua adolescente recalcitrante. «Sarà meglio che tu mi dia il numero di telefono di casa di tua nonna.»

«Vaffanculo.»

Ci eravamo separati male.

Cominciavo a provare risentimento nei suoi confronti, pensavo che se fosse stato con me tutto sarebbe andato per il meglio. Avrebbe assunto il comando. Aveva esperienza. Mi avrebbe abbracciato e si sarebbe accollato le responsabilità che per me erano troppo pesanti da sopportare.

Nel vialetto d'accesso entrò un avvocato su una Golf GT1 nera nuova, poi rimase in piedi davanti al camino del salotto. Giovane, coscienzioso e preoccupato, continuava a scrutare la porta per vedere se qualcuno più vecchio e responsabile di me mi avrebbe seguita in casa.

Indossavo una maglietta dei Bonzo Dog Doo-Dah

Band e un paio di pantaloni da sci di lycra aderenti come una seconda pelle, con scarpe da folletto scarlatte. Avevo realizzato un distintivo con scritto «Vernon Dudley Bohay-Nowell è dio». Ero patita di distintivi in quel periodo.

I capelli erano un assortimento di farfalle di carta comprate in una cartoleria. Continuavano a cascare e svolazzare verso il pavimento, come se morissero, più o meno alla stessa maniera in cui Mick aveva reso omaggio a Brian a Hyde Park.

Ero in modalità performance e sperimentavo il paradossale stato di eccitazione che a volte deriva dall'abuso di barbiturici. Sospinta dagli effetti delle sostanze, creavo e controllavo le scene, perché questo era molto più piacevole che pensare alla nonna morta stecchita, papà morto, mamma morta, pappagallo morto, tutti morti. Era più facile pensare ai pappagalli morti, perciò lo facevo, e di tanto in tanto ridevo, e nei momenti meno appropriati, quando l'avvocato mi spiegava qualcosa.

La signora Erin mi aveva detto che la signora Black aveva chiesto che il suo corpo venisse gettato fuori in un sacco nero e portato via dall'uomo dell'immondizia. L'avvocato fece notare che sarebbe stato illegale.

Ero sicura che la signora Black fosse capace di intendere e di volere quando aveva redatto il testamento e le ultime volontà?

«No» dissi. «Non aveva una mente capace di intendere e volere nel senso convenzionale del termine.»

L'avvocato mi disse che la nonna aveva lasciato tutto a me. Il lascito comprendeva la casa, il terreno e i debiti, la cui entità, con l'erario, corrispondeva al valore dei beni. Questo significava che, secondo i suoi calcoli, me ne sarei andata con la somma di 59 sterline e 33 penny.

Quando la riunione terminò, la signora Erin portò un vassoio con del tè e dei biscotti e il giovane si rilassò un po' o, quantomeno, cominciò a parlare in maniera più normale.

«Il fatto è, signorina Black» disse con il suo franco accento del Dorset, «che non è una buona idea evitare il Fisco. È consapevole che sua nonna in tutta la vita non ha mai compilato nulla di simile a un modulo delle tasse? Anzi, non ha mai compilato un modulo per quanto ho potuto scoprire. Di sicuro non avrà una patente di guida valida. Per essere onesti, d'altro canto non ha mai preteso nulla dal governo, sotto forma di pensione o cose del genere, ma a loro queste cose non piacciono, signorina Black, non piacciono affatto. Le vecchie signore con vagonate di contanti nascoste in giro non sono la loro passione. Non trovano divertente...»

Avrebbe potuto andarmi peggio, avrebbe potuto trattarsi di un debito che non avrei potuto pagare. Così come stavano le cose, era un pareggio.

Arrivò una zia, una certa Susan con un foulard di Hermès, inattesa e indesiderata, una che amava i drammi.

«Tesoro» disse, «io ho avuto il cancro al seno. Ora. Chi verrà al funerale? Hai avvisato Lakey e Bill? E i Falkland? Bisognerà dirglielo. E non ci sono dei cugini a Dubai?»

Sfogliò la rubrica Smythson.

«Ci sono Tom e Primmy. Oh no, lei è morta. Devo cancellarla.»

Si aggirò per la casa per vedere cosa poteva rivendicare, ma venne cacciata indietro da diversi impiegati con delle cartellette che erano lì per autenticare il testamento.

«Non c'è niente in giro» dissi. «La nonna ha lasciato solo debiti.»

«Oh, be', Helen è sempre stata un disastro con i soldi, un disastro. Ancora quel ritratto del cugino Sammy? La sola cornice vale duecento sterline.»

Andammo all'ufficio delle pompe funebri. Io ero piuttosto fatta, fu la zia Susan a parlare. Mi portai Owen, nel tentativo di infastidirla, ma questa azione diretta si rivelò controproducente, perché invece che mordere lei, come avevo sperato, il cane si avventò su di me. Non si riusciva neanche a parlare per il volume dei latrati, perciò mi infilai un paio di guanti di pelle della nonna e lo riportai in macchina.

Consultammo un catalogo per scegliere l'urna Ashes to Ashes e una bara nella quale cremare il corpo, che sarebbe bruciato molto facilmente per via dell'alcol.

Lasciai che fosse la zia a scegliere i fiori e la musica. Io non avevo bisogno di questi rituali e mi dispiaceva che quando capitavano gli eventi importanti della vita e della morte, Dio si aggirasse per la casa e nessuno osasse discutere con lui.

Pensavo che la nonna avesse ragione: avrebbe dovuto essere portata via dalla nettezza urbana. Sarebbe stato più semplice ed economico.

Non avevo idea di chi sarebbe venuto al servizio funebre. Il telefono era un modello in bachelite degli anni Cinquanta, non molto diverso da quello che si trova ai piedi delle scale in *Che fine ha fatto Baby Jane?* Il suono era un sottile tintinnio. Io rispondevo sperando che fosse Daddy, ma era sempre una voce distinta che domandava se Helen gradisse i fiori, quando era difficile che nella sua posizione potesse desiderare alcunché.

Io passavo il telefono alla zia, che si gustava il compito e la conversazione sottovoce. «Sì, è qui. Non lo so. Penso che sia drogata. È difficile dirlo con i giovani, no? No, Helen non le ha lasciato nulla, solo un conto da pagare a quanto pare. No. No, non ti preoccupare, non penso che tu debba tirare fuori dei soldi.»

Helen Black. All'improvviso le ombre della mia infanzia cominciarono a prendere forma. Da morta la nonna stava diventando una persona reale. Helen Black, madre di Frank, suocera di Samantha, nonna di Stella. Era stata la madre di mio padre, e perciò anche Frank Black iniziò a mutarsi da papà immaginario a persona reale. La zia Susan era mezza sorella di mia madre e io fui lieta che non lo fosse per intero, perché non mi piaceva pensare che lei fosse come mia madre.

«È una fortuna che tuo padre avesse stipulato un fondo in tuo favore» disse la zia Susan. «Terribile il modo in cui è morto. Terribile. E così presto dopo la povera Samantha.»

I Black arrivarono, e fu una panoramica divertente. Con mio grande orrore, si rivelò un preciso tratto genetico, un'adiposità ereditaria per cui le donne, raggiunta la mezza età, sviluppavano uno stomaco a barile e gambe incurvate come quelle dei tavoli Regina Anna. C'erano all'incirca una ventina di queste donne grasse. Daddy avrebbe detto che stavo esagerando e che erano al massimo tre, ma la sensazione era che fossero venti. Indossavano tutte pellicce di visone e rossetto scarlatto. Erano identiche, stessa pelliccia, stesse labbra, si muovevano all'unisono come un'enorme palla di pelo.

C'erano anche dei gruppi di vecchi tizi del villaggio

che erano venuti per farsi una risata, e diversi imbecilli che si lamentavano perché stavano perdendo la corsa delle 4.30 a Newmarket.

Io ero vestita di pelle, con la veletta e una gran quantità di bigiotteria che avevo trovato nella stanza della nonna dopo che gli ufficiali giudiziari se n'erano andati a casa. A dire il vero avrebbero anche potuto essere veri gioielli, alcuni erano piuttosto pesanti, e sapevo per esperienza che i gioielli autentici spesso sembrano falsi. Di certo la zia Susan si prese una pausa per studiarli da vicino, suggerendo persino a un certo punto che mi sganciassi un pezzo per saggiarne il peso. Non mi sarei fidata di quella donna neppure per farle imbucare una lettera, avrebbe staccato il francobollo con il vapore.

La signora Erin e Letizia, la figlia della signora Forbes, quella che era stata morsicata da Owen, servirono champagne e sandwich al salmone in salotto.

C'erano dei quadrati scuri sulla carta da parati dove in passato si trovavano i quadri buoni, e nel camino un fuoco che non emetteva abbastanza calore, ma un sacco di roba da bere, perciò si sbronzarono tutti quanti. Le lacrime scorrevano e le lingue sfarfallavano. Io presi delle pillole gialle, che mi resero sia docile sia cortese. In altre parole, erano la droga perfetta per i funerali. Ricevetti le condoglianze con modi graziosi e ascoltai spaventose informazioni da quelle donne sconvolte e sovralimentate.

«Sei la figlia di Frank?»

«Sì.»

«È la ragazza di Frank, Mary, ti ricordi di Frank, quello piccolo, aveva un cavallo. Non vinceva mai niente ed era costato una fortuna. Il cavallo intendo, non Frank.»

«Oh, sì. Spaventosamente bello. Un bel tipo quando non era incazzato.»

«Potrebbe essere chiunque.»

«Mi ricordo che gli piaceva una tizia giovane.»

«A chi non piacciono?»

«È stato a Eton con William, nella stessa casa penso.»

«È lui.»

«Frank.»

Il morto iniziò a camminare. Frank Black era arrivato. Scoprii che non era né alto né forte. Non era neppure scuro come avevo sempre immaginato. Avevo ereditato il gene dei capelli neri da mia madre. Mio padre era biondo e aveva gli occhi azzurri. Biondo con gli occhi azzurri e ubriaco al Green Man pub di Harrods. Non avevo mai visto delle fotografie, capite. Mia nonna, sempre in lutto, non poteva vedere foto di lui e si rifiutava di parlare di qualsiasi argomento che anche solo vagamente fosse correlato alla questione.

Un uomo con indosso un panciotto giallo mi disse di essere stato a scuola con Frank. Era il più basso del suo anno, ma anche il più anarchico. Era uno dei ragazzi più ricchi della scuola, aveva i monogrammi su ogni cosa, beveva come un pesce, fu il primo a possedere un'automobile (che nascondeva in città) e alla fine venne espulso perché era andato a Londra e non era tornato per tre giorni con la scusa che un ebreo lo aveva colpito in testa con la scarpa e lui aveva perso la memoria.

«Dopo quell'occasione divenne un terribile antisemita. Comunque, suppongo che allora lo fossero tutti.»

Se non fossi stata sia ubriaca sia sedata, avrei avuto i brividi. Così com'ero, risi come fossi in uno stato avanzato di isteria e sentii, non per la prima volta, il lugubre colpo degli stivali militari che avanzavano.

Tutto quanto cominciò a prendere forma a mano a mano che i vari parenti mi si presentavano.

Frank Black non era andato all'università. Disponeva di parecchio denaro. Passava il tempo frequentando party a Londra e a Parigi. Aveva numerosi amici. Aveva incontrato Samantha, mia madre, durante una vacanza sulla neve a Courchevel. Si erano innamorati, ma erano stati sposati soltanto due anni, perché era morta molto presto. Lei aveva venticinque anni, lui ventisei.

«La morte di Samantha fu la fine» mi disse una delle pellicce di visone più lucide. «Non riuscì più a riprendersi. Terribilmente ubriaco, pover'uomo. Aveva l'abitudine di provocare le risse, e poi le prendeva perché tutti erano più grandi e più forti di lui. Veniva sempre buttato fuori dai locali con il colletto insanguinato. Sapeva essere molto sgradevole da sbronzo, lo charme in persona quando era sobrio, ma non era mai sobrio. Mi ricordo che io gli dissi di andare in una clinica prima di finire in prigione. Sono simili, certo – almeno nella dieta – ma pensavo che la prima fosse preferibile, anche se più costosa.

Poi spese tutti i soldi per il cavallo da corsa, che non vinse mai nulla. Pensavamo tutti che avesse letto troppi romanzi di Ian Fleming. Viveva molto al di sopra dei propri mezzi, teneva il passo del bel mondo di Gstaad e Cap Ferrat.

Fece bancarotta. Sarebbe andato completamente giù se tua nonna non lo avesse soccorso. C'erano soldi in giro, non puoi sbagliarti. Dio solo sa cosa ci abbia fatto Helen, credo che ti abbia lasciato in leggero imbarazzo.»

«Mio padre aveva sottoscritto un fondo per me» dissi risoluta, cercando di riscattare un minimo la sua memoria. «Ho un appartamento a Chelsea.»

«Oh, bene. È un sollievo. Perciò. Cosa credi che farai?»

Pensai alla riserva segreta della nonna. «Credo che mi farò di droga» dissi, «per un po'.»

«E dopo?»

«Potrei andare via.»

«Bene» concluse, «è stato un piacere conoscerti. Frank non parlava mai di te, a dire il vero. Non sapevo neppure che avesse una figlia.»

Il pomeriggio declinò e l'oscurità del tardo autunno scese intorno alla casa. Mi sentivo pesante. Come se mi avessero risucchiato il sangue. Stavo salendo le scale per trovare un'anfetamina quando una voce mi chiamò. «Sono qui adesso, sei salva.»

Daddy?

No, Conrad.

Il suo volto era sollevato verso di me come un girasole in mezzo al corridoio, indossava un soprabito nero da funerale che lo faceva apparire devastante. Il buonsenso mi fece immaginare che non fosse una mossa intenzionale. Conrad non aveva alcun gusto nel vestire, è solo che i soprabiti neri stanno bene a tutti.

«Dove vai?»

«Da nessuna parte.»

Salì le scale verso di me. Mi sedetti su uno scalino. Lui si accomodò vicino a me.

«Come vanno le cose?»

Feci spallucce. Inetta, adolescente.

«Hai gli occhi un po' spenti. Cosa ti stanno facendo?»

«Mi dicono cose che non voglio sentire.»
«Bastardi» disse. «Che genere di cose?»
Feci di nuovo spallucce. «Su Frank Black, mio padre, non che me ne freghi.»
Conrad sospirò, mi mise un braccio attorno alle spalle e mi baciò sulla testa.
«Frank Black morì quando aveva ventisei anni» disse. «Non ha avuto il tempo di diventare una persona, perciò cerca di non preoccuparti di ciò che dicono quelle là. Non sono tipe da pensare. Guardiamo le cose in faccia, la maggior parte di loro sembra che riesca a malapena a respirare e parlare contemporaneamente.» Fece una smorfia. «Vino terribile. Pensavo che tua nonna avesse una famosa cantina.»
«Se la beveva.»
«Oh sì. Be'. Comunque. Frank Black, il tuo caro padre, aveva all'incirca la tua età quando morì, perciò pensaci. Era giovane. Secondo il mio defunto e amato padre, che lo conosceva piuttosto bene, era un uomo gentile distrutto da un lutto. Non era troppo brillante. Era sua moglie ad avere il cervello per tutti e due. Ti assomigliava, secondo quanto mi ha detto mio padre, ma immagino che tu lo sappia.»
Sopraffatta da uno stato di opprimente confusione, disorientamento e tristezza pura, mi abbandonai contro Conrad.
«Povera piccola» disse, cingendomi tra le braccia. «Stai qui con me.» Aveva un odore meraviglioso. Era meraviglioso.
Se fossi stata una persona normale, avrei singhiozzato per il resto della notte. Singhiozzato, pianto e sofferto, ma avevo preso un cocktail di sostanze capaci di cambiare lo stato d'animo delle persone, pertanto non

ero di un umore identificabile, né appropriato per un funerale, salvo forse per gli occasionali scoppi di genuino spasso.

Conrad mi seguì in cima alle scale, nella mia camera da letto. Non penso che al momento sapesse che avremmo fatto sesso. Credo che mi stesse semplicemente seguendo senza pensare, per assicurarsi che stessi bene.

Da bambini avevamo giocato insieme, ma mai a casa della nonna. Era sempre stato da lui, in giardino, e si era sempre un po' annoiato con me, visto che era più grande e avrebbe voluto giocare a calcio. Funzionava solo quando uno dei suoi genitori conduceva il gioco o giocava a carte con noi. Comunque, io non avevo mai voluto davvero stare con Conrad, ero interessata solo a suo padre.

Accesi una candela e ci sdraiammo fianco a fianco sul copriletto di ciniglia. Era una posizione avvilente, a causa dell'età del materasso e dei cuscini. Ormai la gran parte del trucco mi era finita sulle mani, macchiate di nero e porpora. Non mi interessava. Comunque c'era buio.

«Togliti il soprabito, Conrad» dissi.

Fece quello che gli avevo detto, poi mi baciò con una certa foga sulle labbra, abbracciandomi stretto.

«È così sbagliato» disse.

«Perché?»

«Be'. Tu sei fatta e distrutta dal dolore e io approfitto di te.»

«Pensavo che fosse il contrario.»

«È vero.»

Mi baciò ancora, io mi issai sopra di lui, lo sentivo duro tra le cosce.

«Comunque» dissi. «Tu hai letto abbastanza per sapere che il sesso e la morte viaggiano insieme.»

Facemmo l'amore.

Si spinse lentamente dentro di me. Lento e duro, e si prese il suo tempo. Sentii ogni centimetro, largo e grosso. Si sapeva controllare. Ed era alto, perciò quando mi cinse tra le braccia mi avvolse del tutto, io mi sentivo piccola, e lo adoravo. Ero circondata da lui, fusa, una cosa sola, non l'avevo mai provato prima, non dal punto di vista fisico. Sul piano intellettuale sì, con Daddy, le nostre menti erano insieme, ma i corpi? I corpi seguivano sempre una regia. Eravamo vicini, ma non allo stesso modo. Conrad mi avvolgeva senza soffocarmi, e a livello profondo ne avvertii il coraggio e la gentilezza.

«Posso venire quando voglio» sussurrò con un certo orgoglio.

«Be', non farlo» suggerii. «Mi piace sentirti dentro.»

Giacemmo insieme a lungo. Io, tra le sue braccia, la schiena rivolta verso di lui. Era dietro, con il cazzo caldo e duro dentro di me, come un succhiotto nella bocca di un bambino, suppongo, di certo provavo un grande conforto.

«Ah, Stella» sussurrò muovendo il bacino, «ora devo venire.»

Con delicatezza, si concesse il piacere, prendendomi da dietro. E io mi accarezzai, dapprincipio piano, poi all'unisono con i suoi movimenti. Attese. Dovettero sembrare secoli. Venni, e mentre lo facevo, con le vibrazioni che mi facevano formicolare la fica, lui raggiunse il suo bellissimo e meritato climax.

Sonnecchiammo. Ci svegliammo. Accesi una sigaretta. Agitò una mano per mandare via il fumo dal viso e disse: «Ti vedi con qualcuno?».

Ero in down.
«Sì.»
«È una cosa seria?»
«Sì.»
«Da tanto?»
«Sì. E tu?»
«No. Il lavoro, sai. Lo rende difficile. Andrò a Washington per secoli.»
«Oh.»
«Allora, com'è questo tuo ragazzo?»
«Più grande.»
«Più grande come Babbo Natale, o più grande tipo trent'anni?»
«Cinquantaquattro.»
«Ah-ah.» Mi guardò compiaciuto, come se sapesse ogni cosa. «Papà.»
«Sì, papà, e comunque non me ne vergogno.»
«Scommetto che ti sculaccia il sederino e che fa cose da pervertito con la sua ragazzina.»
Conrad stava avendo un'altra erezione.
«Fa quello che vuole, e non sono affari tuoi.»
«Ho sempre saputo che eri una monella, complicata e svergognata. Ce l'hai scritto addosso.»
«Parli tu. Ce l'hai duro.»
Raccontai a Conrad del delizioso dolore che mi procuravano le mani di Daddy quando mi percuotevano la pelle fino a farla diventare rossa, così che le natiche, fiammeggianti, pizzicavano per tutto il giorno e non potevo indossare le mutande. Gli raccontai come, dopo queste sessioni, Daddy mi faceva indossare la gonna e la sollevava per guardarmi il didietro ogni volta che gliene veniva voglia, ed entrambi ci sentivamo eccitati per ore. Che lui mi diceva di avere bisogno che glielo

succhiassi e che io acconsentivo sempre obbediente perché il ricordo della recente punizione pulsava ancora in tutto il bacino, le cosce e le terminazioni nervose di ogni canale interno.

Raccontai a Conrad che Daddy mi spazzolava i capelli e mi vestiva, e che io gli sarei rimasta seduta in braccio per secoli, acciambellata, con le braccia attorno al collo. O come, dopo che mi aveva arrossata con la spazzola, mi faceva aspettare. A quattro zampe, con il culo fiammeggiante per aria. Bagnata, pronta, disperata, aspettavo, e a volte lui entrava semplicemente nella stanza, mi infilava un dito, mi faceva venire e se andava, lasciandomi lì con il sedere rosso all'aria. Bianca, nuda e vulnerabile, ma sempre soddisfatta.

Il cazzo di Conrad crebbe di nuovo.

Lo presi in bocca e glielo succhiai, sorridendo con gli occhi.

Mi scopò di nuovo.

«Lo sapevo che eri una ragazzaccia.»

«Assurdità. Sono solo la tua banale femminista proporno con inclinazioni trasgressive e un occhio sul futuro della rivoluzione.»

«Ah sì?»

«Oh, sì. Non penso che le donne possano essere davvero progressiste se non hanno accettato la verità della loro sessualità, se non l'hanno collocata nell'ambito del dominio pubblico per costruire la propria agenda a partire da essa. Vale a dire, se le pensatrici che hanno costruito queste idee non sono in grado di arricchirsi con la consapevolezza della verità, allora non potranno avere alcun impatto sul mondo reale. Per di più, le femministe cercano di escludere il piacere, e io considero una mia personale missione riportarlo in auge.»

«È piuttosto difficile essere al contempo masochista e femminista» osservò.

«Io non sento di essere masochista in termini fisici e pericolosi» risposi. «Io sento che sto approfondendo la mia verità e non c'è nulla di cui vergognarsi. E io penso che tutto ciò sia particolarmente importante alla luce di un clima politico reso reazionario dall'AIDS.»

«Be'» disse, con un sorriso. «Sei unica.»

Quando tornammo giù, se n'erano andati tutti. La zia Susan ispezionava le bruciature di sigaretta e la signora Erin raccoglieva i bicchieri rotti. La serata si era trasformata in un party. La nonna ne sarebbe stata molto contenta. Aveva un debole per i funerali.

Conrad e io ci baciammo in corridoio.

«Ti telefono a Londra» disse.

Lo guardai guidare la sua spaventosa Morris Minor lungo il vialetto d'accesso.

«È quello lì che scrive sui giornali?» disse la zia Susan.

La nonna mi aveva lasciato la sua Austin Healey, per cui ora avevo un'auto cool, un cane furioso, alcuni gioielli déco, una bizzarra pelliccia, una macchina fotografica a cassetta e diversi cappelli vintage che secondo la zia Susan «valgono una fortuna».

«Ora sono qui» dissi, mentre guidavo l'auto verso Londra, molto oltre il limite di velocità, come faceva lei, e con uno shaker sulle ginocchia, come faceva lei, e Owen sul sedile del passeggero, la testa fuori dal finestrino, la lingua penzoloni, le orecchie spinte indietro dal vento.

10

1987-88

Una folla di persone si era presentata con mezze verità e verità sgradevoli. Un eroe non all'altezza e una madre impossibile da conoscere. Erano entrambi morti infelici. Io ero tormentata. Arrivò gennaio e tutto era grigio. Il cielo mi opprimeva; c'erano solo il freddo, la pioggia e il buio, e i giorni erano tutti uguali.

Era come se mi giungessero messaggi dalle profondità del corpo; non nascevano dal freddo intelletto o da ricordi definiti, giungevano da un luogo sconosciuto, premevano, incompleti e imperscrutabili. Ma ero capace di sospingerli giù, con decisione, inalando il fumo della sigaretta, bevendo una vodka o prendendo uno dei farmaci della nonna. Mi dedicai a quei farmaci disordinati con imprudente abbandono. A volte mi facevano stare male, ma di rado mi abbattevano. Ero folle e selvaggia, e completamente liberata.

A volte mi svegliavo alle tre di notte e pensavo che fosse primo pomeriggio; a volte mi perdevo un giorno, a volte mi domandavo perché fosse sempre così buio, si era verificato una sorta di episodio apocalittico mentre ero incosciente?

Guardavo sempre lo stesso video, ed era *The Rocky Horror Picture Show*. Lo facevo andare in loop. Osservavo i freak, e sapevo che avevano ragione loro. Riconoscevo dei significati profondi e mistici nella sceneggiatura, il manifesto definitivo dell'individualismo sessuale, con un sottotesto sovversivo scritto da un genio. Cantavo le canzoni tra me e me e sapevo che sarei stata felice nel castello con Frank e gli altri. Sarei stata contenta di farmi frustare da quell'assurdo maggiordomo. Sarei stata una Nell fantastica. Dio sa che non è necessario saper cantare molto bene; basta esagerare con il make-up e saltellare con il reggicalze a vista, e più o meno questo era lo stile di vita che io avevo già scelto per me.

Se uscivo era solo per passeggiare con Owen e/o abbordare qualche uomo nei bar. Compaiono nei miei diari con il solo nome, e alcuni di essi sono difficili da ricordare, ma immagino che fossero del genere a cui non importa che una donna sia pazza, fintanto che se la possono scopare. Ero una prostituta gratuita e sono certa che ne fossero contenti, ma non ho mai scoperto nulla su di loro.

Gli episodi erano una distrazione benvenuta dal mio morboso stato di isolamento. Agli uomini non importava che l'appartamento fosse disordinato come una discarica. Non cercavano un legame per la vita, cercavano una sgualdrina da scopare.

A quel tempo non pensavo all'amore; non ero consapevole di desiderare affetto. A dire il vero, non volevo nessuno troppo vicino, volevo che tenessero le distanze, ma che mi scopassero lo stesso. Tutto riguardava la meccanica del sollievo fisico e il sollievo della distrazione.

Ci furono un David e un Dan, un Miles e un Joe. Ricordo che con uno di loro lo feci sul pavimento. Un tipo tarchiato con possenti bicipiti e la testa rasata. Gli piacevano le band tedesche rumorose ed era piuttosto hardcore nei gusti. Di solito non il mio tipo. A me piacciono esili, scuri, effeminati, bisessuali, una sorta di incrocio tra un bastoncino di liquirizia e una drag queen. Era un tipo da pub, parecchie pinte, sigarette fatte a mano e due anni nell'esercito. Insegnava filosofia, perciò non era stupido. Non dovetti abbassare il livello dei miei giochi. Abbassare il livello dei giochi è sempre una delusione sessuale. L'ho scoperto adesso, ed è così persino ora che sono vecchia. Non sono mai stata attratta dai giovani stupidi con i muscoli e le erezioni. Ho sempre preferito meno sesso e più viaggi. Posso arrendermi agli orgasmi notturni fin quando c'è uno scambio di idee. Gli uomini di mezza età non la pensano sempre così, certo. Non vogliono chiacchierare, vogliono scopare. Ora possono, grazie alla Pfizer.

Questo tizio tarchiato mi bloccò le braccia sopra la testa e io gli attorcigliai le gambe attorno ai fianchi, scopammo sul pavimento della cucina, poi ancora sul tavolo. Lui, chiunque fosse, dietro. E io con la faccia schiacciata contro il legno dipinto. Afferrai con le mani il bordo del tavolo. Il macinapepe cadde a terra e si ruppe.

Spalancai le gambe per bene, mi aprì del tutto, così avrebbe potuto prendermi ovunque. Era un tradizionalista. Mi ghermì le labbra, spinse il palmo contro il clitoride e lo strofinò con insopportabile determinazione, così che qualsiasi pensiero di fuga mi abbandonò e io dovetti danzare con lui perché era lui ad avere il controllo. Mi accarezzò e, quando cominciavo a sciogliermi, mi spinse dentro il pene. Aveva un grande culo bianco, bacino largo e spinta decisa. Sapeva quel che faceva, era coordinato e, mentre spingeva la deliziosa cappella dura dentro di me, mi accarezzò, si sintonizzò e ci portò all'orgasmo insieme.

A dire il vero, avrebbe voluto continuare a vedermi, e a me dispiaceva perderlo perché era una scopata spettacolare, e non se ne trovano tanto spesso, nonostante quello che si legge nei romanzi. E non è neppure una cosa che si può stabilire dalla personalità o dall'apparenza. Ho visto individui dall'aspetto più inutile del mondo divenire più che utili una volta svestiti. E viceversa. Ci sono tanti che pensano di essere molto meglio a letto di quanto non siano, aiutati in questo da donne cortesi.

Una volta *lui*, non ricordo il nome, venne a casa mia e trovò un porno sul video. Alla fine degli anni Ottanta il porno stava diventando piuttosto cool. Era visto come uno strumento per porsi domande, era collegato a interessanti tecnologie e importanti controversie riguardo ai diritti civili. Larry Flint era un antieroe alla moda. Io ne guardavo parecchi, soprattutto gay, grazie al fatto che appartenevano a Kevin il parrucchiere. Compravo anche degli eccellenti film da Janus a Soho.

Mi piaceva il modo in cui mi ispezionavano il culo laggiù, e a volte ci andavo solo per chinarmi in avanti e mostrar loro le natiche. Avrei voluto che uno di loro mi ghermisse e mi colpisse la carne con una spazzola, ma non è questo il protocollo nei sexy shop, sfortunatamente. Devono porsi qualche limite, almeno nella vita reale.

Ero pura, bianca e un po' frustrata. Perché non vedevo Daddy da mesi, non ero stata condotta per mano. Perciò guardavo video violenti, dove le ragazze erano fantastiche, ma gli uomini avevano i capelli gonfi e indossavano pantaloni inquietanti, e mi avrebbero fatto scappare completamente la voglia di quel passatempo, se non fosse stata cablata nel mio cervello.

Lui, non ricordo il nome, mostrò un'indignazione politicamente corretta, disse che il porno non era sovversivo, checché ne pensassero i punk invecchiati, ma serviva soltanto a rafforzare uno status quo per il quale le donne erano dei buchi vuoti.

«La pornografia» dissi, «esiste perché la società non è in grado di accettare la propria sessualità. È coltivata dalla repressione e dalla negazione. Se la segreta complessità di bisogno e desiderio fosse accettata e celebrata, non ci sarebbe alcuna necessità di fornire questi mezzi di rozza educazione ed eccitazione scadente. Guarda la Cina pre-comunista se vuoi vedere come l'arte erotica può essere mostrata, senza vergogna e come un mezzo per conquistare virtù come la temperanza e la generosità. Il porno» proseguii, «ha cominciato a esistere solo quando l'erotismo è stato messo al bando, nel 1857 per essere precisi, con lo Oscene Pubblications Act, la legge sulle pubblicazioni oscene. Il porno non è un problema del porno, è un problema tuo. Se tu non fossi tanto spaventato, teso e confuso, lo sapresti anche tu.»

Lui, non ricordo il nome, mi accusò di essere stupida, come fanno gli uomini quando non riescono a trovare una risposta. Poi iniziò a lamentarsi che io lo volevo unicamente per il sesso, e allora gli domandai cosa ci fosse di sbagliato in questo. Lui mi disse che voleva di più. Voleva una relazione. Io gli dissi che non avevo idea di cosa stesse parlando. Non sapevo cosa fosse una relazione, oltre a essere una parola per descrivere il fatto che due persone interagivano tra loro a un certo livello. Le relazioni di certo erano qualcosa di soggettivo la cui descrizione era soggetta alle realtà individuali, come la bellezza o la malvagità. Era lui il filosofo, di sicuro doveva essere in grado di comprendere l'insensatezza di "relazione" intesa come parola descrittiva.

Mi disse che avevo perso il contatto con la realtà e se ne andò.

Venne rimpiazzato da altre facce e altri cazzi, e questi ultimi sono più facili da ricordare. Non avevo tempo per quelli piccoli, temo. Semplicemente non l'avevo. Non avevo tempo, pazienza, tolleranza. Ero una stronza. Non c'era da meravigliarsi che avessi bisogno di essere punita.

Imparai a tollerare quelli di dimensione media, conquistai una parvenza di buone maniere. Ma era per quelli grandi che ero sempre sinceramente grata. I grandi cazzi ottenevano la mia attenzione totale; a volte ricevevano un'emozione simile all'amore. Che adorabile sorpresa quando uno apre il pacchetto e trova un bocconcino pieno zeppo di carne. Mi soffocavano e mi trafiggevano.

L'ironia è, ovviamente, che non erano questi uomini ad avere bisogno di incoraggiamento o gratitudine; erano i loro fratelli meno fortunati con minore dotazione che richiedevano l'amore di una brava donna. Io non ero una brava donna, e non aspiravo neppure a diventarlo. Non aspiravo a nulla. Le mie aspettative erano basse ed erano state ampiamente soddisfatte.

Rammento la sensazione dell'asta dura dentro di me, stridente e pulsante, e l'abbandono totale che a volte mi concedevo. Gli orgasmi sono difficili da ricordare, la loro essenza sembra richiedere il presente. Bisogna essere lì, e poi vanno. Io ho un sacco di orgasmi differenti, cosa che gli uomini non credono mai, evidentemente perché loro ne hanno di un solo tipo. Di certo posso avere un genere di orgasmo che è puro sollievo emotivo, dove la sensazione fisica non è che una parte. Posso provare un orgasmo profondo, per errore, quando la sommità del cazzo preme contro qualche terminazione nervosa in profondità e mi fa partire. E poi ci sono le meccaniche del clitoride, sempre affidabili e del tutto controllabili. L'autoscopata della buonanotte. Le vibrazioni della fantasia. La pura benedizione del sollievo per mano propria, soddisfacente per l'idea dell'autosufficienza. L'autoerotismo a volte mi faceva desiderare il cazzo di Daddy, ma mi confermava anche il fatto che non avevo più bisogno di lui. Per quanto ne sapevo io, mi aveva abbandonato quando avevo più bisogno e mi aveva delusa in un modo troppo doloroso da riconoscere, figuriamoci da descrivere a chicchessia.

Non ricordo chi mi abbia dato quale genere di orgasmo, ma so che il piacere che mi dava Daddy era il migliore, il più vario, e il più vicino a un amore significativo. Daddy mi permetteva di essere me stessa, e io gli permettevo di guardarmi.

In quel periodo indossavo pantaloncini corti, piccoli pantaloncini di satin nero, calze lunghe, stivali alti e giacche da sartoria con la camicia con il colletto. Era un bel look, e portavo sempre un legaccio in testa, che spesso si dimostrava utile quando non vedevo Kevin da un po'. I miei capelli si erano liberati dal perfetto caschetto alla Louise Brooks che Daddy mi aveva imposto, e ora avevo la sfumatura alta da ragazzo, sulla nuca e di lato, e la frangia lunga, grazie a Kevin il parrucchiere che aveva assunto il controllo. Lui scoraggiava la promiscuità. Il suo miglior amico era morto di AIDS e mi disse che la malattia aveva ucciso tutti quanti a New York.

«Eri monogama quando scopavi Daddy» commentò. «E più felice. Anche se i tuoi capelli non erano così belli.»

Mi guardai nello specchio. Portavo un paio di Ray-

Ban ed ero seduta dietro una nuvola di fumo, perciò non era facile scorgere il mio volto. Lo stereo suonava piuttosto forte i Frankie Goes to Hollywood.

«Sei una sgualdrina» disse. «Io ti rispetto, ma è pericoloso là fuori, fidati di me.»

Feci il test, risultai negativa e continuai a scopare. A Dan piaceva mordermi le cosce ed eiacularmi nel buco del culo.

Simon lo faceva come un cagnolino.

Lorne scriveva poesie e aveva una bocca indecente. Era uno dei pochi uomini capaci di farmi venire al telefono. Il sesso telefonico era il suo preferito. Viveva a Brent, perciò per lui era più facile così, suppongo. Risparmiava la fatica e le spese di viaggio.

«Com'è la mia puttana sporcacciona?»

«Ha le dita infilate nelle mutandine.»

«Dovrei fare un giro da quelle parti e darti una bella ripassata. Ti piacerebbe, ti piacerebbe succhiare il mio uccello duro?»

«Voglio il tuo uccello duro. Voglio che mi scopi e che mi vieni addosso. Ora ce l'ho in mano.»

«Hai le dita nelle mutande?»

«Sì.»

«Infilatele dentro. Voglio sentire che vieni.»

E così via. A volte mi recitava poesie, cosa che io trovavo più imbarazzante che fargli una pompa su una panchina del parco. Era come un monologo comico senza le battute. Non sapevo dove mettermi.

Avevo una "relazione" anche con un biker peloso, per colpa di Kevin, visto che lo avevo incontrato insieme a lui in un club seminterrato a Hackney. Mi andava bene che Kevin il parrucchiere mi facesse la ramanzina sul sesso squallido, ma lui non riusciva a tenersi troppo lontano dai locali sordidi. Il biker era un eterosessuale in pantaloni e giacca di pelle. Cosa si poteva chiedere di più?

Mi chinai sul sedile della sua Norton e gli diedi il culo. Fortunatamente per lui indossavo una minigonna di pelle, calze, reggicalze, tacchi a spillo e niente mutande. Aveva accesso e se lo prese, estraendo l'erezione dalla pelle dei pantaloni e donandomela. La moto vibrava e acciottolava. Stava per cadere, perciò lui mi spinse su una scala d'emergenza. Io sui gradini, culo in su, lui dentro di me, aggrappato ai fianchi. Mi inculò per bene. Lo rividi.

Mi invitò ad andare da lui a Hackney e si fece servire la birra su un vassoio, di fronte ai suoi amici biker. Non penso che fossero biker alla *Easy Rider*. Credo che fossero degli sfigati che incidentalmente possedevano delle moto di terza mano. Uno di loro aveva la madre a Parsons Green. Non credo che fossero fuorilegge. Meccanici, è probabile, se devo tirare a indovinare.

Eppure, erano abbastanza rudi da creare l'atmosfera giusta. Dovetti fare la schiava per il mio amico alfa, indossare una gonnellina grigia, un grembiulino e delle scarpe alte da passeggio con le calze a righe. Le mutande, bianche e di cotone, erano bagnate. Mi eccitava davvero molto. Era così volgare e imprevedibile; c'era un reale pericolo che non sperimentavo da un po', da quando avevo incontrato Daddy la prima volta e ancora non sapevo chi fosse e fino a dove si sarebbe spinto. Il biker mi aprì la camicia con una mano pesante, così che i bottoni saltarono e le tette finirono dappertutto. Rimasi imperturbabile, lo fissavo con un'espressione a metà tra il disprezzo e la noia, che lo fece impazzire. Mi mise le labbra attorno ai capezzoli e succhiò, gli amici guardavano, a bocca aperta, con aria sciocca, soddisfatti. Le gambe mi si piegarono appena. Penso che non potessero credere a quello che vedevano. Io di certo non ci credevo.

Sembravano piuttosto impressionati, e lo furono ancora di più quando lui mi mandò in camera da letto, lasciò la porta aperta e mi scopò in modo che tutti sentissero cosa stava succedendo. Un paio di sberle, un sacco di suppliche. Eravamo piuttosto rumorosi.

«Ne vuoi ancora?» domandò.

«Perché no?» risposi.

Mandò gli altri dentro, uno per volta. Io ero sdraiata sulla pancia, perciò non li guardavo, e non volevo farlo. Non erano i loro volti che mi interessavano, e di certo non li volevo baciare. Ma mi piacevano i loro cazzi duri dentro di me; mi piaceva il fatto che arrivassero eccitati e disperati per me. Be', non per me, siamo precisi, per il mio orifizio sfrontato, che era stato stantuffato dai loro amici e ora si offriva loro.

Erano per lo più piuttosto brutti, ma erano duri, rozzi e forti, perciò essere presa da dietro da questo trio sovraeccitato fu molto gratificante. Non avevo mai sperimentato un rapporto come quello, anche se avevo partecipato a diverse orge e istigato lo stesso genere di messinscena. Facevo usare a tutti il preservativo. Avevo dato ascolto a Kevin.

C'era un sacco di succo, che non è la cosa che preferisco, e dovetti farmi il bagno nell'appartamento del biker. Aveva una vasca di plastica rosa e c'era un'incrostazione attorno al tappo. La doccia, se così si può definire, era intasata e produceva solo un gocciolio. Ci sono dei limiti. Alla fine il bagno mi fece passare la voglia, il bagno e la sua barba. Non ci fu una chiusura formale, ma semplicemente smettemmo di vederci. Non importava a nessuno. Anche se non posso azzardare una supposizione sulla natura della sua vita interiore. Il solo pensiero mi terrorizza. Si comportava come un maiale, perciò con tutta probabilità lo era. Raccontai a Kevin tutta la storia, e lui mi disse che se n'era fatti uno o due anche lui. Concordò con me riguardo al bagno. Ci sono dei limiti.

Perciò con un padre morto, Daddy sparito chissà dove e la nonna seppellita in giardino, prendevo barbiturici e andavo a letto con tutti. Ma poi il dolore cominciò ad arrivare a ondate.

Il telefono squillava e squillava, e io lo lasciavo fare.

Mi comportavo come sempre in questi casi. Piangevo, stavo sdraiata sul letto, abbracciavo Owen, piangevo, stavo sdraiata sul letto, guardavo la televisione, morivo di fame, dormivo, bevevo. Smisi di uscire e di darmi da fare.

Prendevo le pillole della nonna come il dottor Jekyll, sperimentavo su di me fino a che punto avrei potuto spingermi.

Poi Daddy telefonò.

«Chi? Il mio papà morto? Frank Black è un ex pappagallo» biascicai.

«Stella, ascoltami, sono lì tra venti minuti, e se non mi apri la porta chiamo la polizia.»

«Ma sei morto.»

Jimmy forzò la serratura.

Daddy mi trovò a faccia in giù sul sofà con Owen che piagnucolava accanto a me.

Mi sollevò e mi portò in macchina. Jimmy ci accompagnò a Cheyne Walk.

Daddy mi rimboccò le coperte, mi diede il Lucozade, un fumetto e una bella lavata di capo.

Venne un medico. Mi misurò la pressione e disse che era pericolosamente bassa. Io pensavo di svenire a causa delle droghe. A quanto pare no. Vennero prese delle decisioni, ma io non vi prestai attenzione. Dormivo.

Ora ero io la malata.

Una malattia diversa, certo, visto che era mentale.

Piangevo molto. Daddy mi faceva mangiare. Mi lasciava fumare, ma non in camera da letto, perciò dovevo andare in salotto con la camicia da notte. Mi sdraiavo sul sofà, sotto una coperta di tartan, con Owen a cui piaceva Daddy. Mi mettevo in posizione fetale, con il pollice in bocca e la testa sulle sue ginocchia.

Daddy era deciso e gentile. Buttò via tutte le pillole della nonna, e mi rivolse un sermone mentre lo faceva, ma continuava a nascondermi la realtà. A volte ero la sua ragazzina e lui si occupava di me. A volte ero un'adulta che faceva progetti.

Mi concedeva l'intera gamma dell'autocommiserazione. Ero sola dopotutto. Non avevo nessuno.

«Dov'eri finito?» lo accusai. «Sei partito e non sei più tornato.»

«Stella, non è giusto. Sono stato a Hong Kong come ti avevo detto. Ti ho telefonato il giorno che sono rientrato. Ho continuato a telefonare, ma o non mi rispondevi o il telefono era fuori posto.»

«Avresti potuto telefonare o passare.»

«Sono passato in realtà, più di una volta. Poi ho visto un uomo che usciva dalla casa, e non avevo intenzione di sottopormi ai tuoi capricci e rifiuti. Ho immaginato che fossi passata oltre. Non avevo idea che stessi male.»

«Ti sono mancata?»

«Certo che mi sei mancata. Ti amo. E in più ero molto preoccupato. C'era qualcosa che non mi convinceva.»

Gli raccontai del funerale della nonna, dei debiti, di Owen e di zia Susan. Pensava che fosse tutto esasperante.

Era seccato a causa della cattiva gestione dei soldi di famiglia, nonostante io gli avessi detto che non mi importava.

«Tu sei giovane, Stella» disse. «Non capisci.»

Non più così giovane. Diventavo ogni giorno più vecchia. La vita snervante cominciava a mostrarsi sul mio viso. Mi succedevano delle cose al collo che mi ricordavano i film di Wes Craven.

«Smettila di guardarti allo specchio» mi ammoniva. «Non sei una modella fuori di testa.»

Mi ci volle un anno per riprendermi. Quando compii ventinove anni, ero meno scompigliata, meno spaventata, più in grado di cavarmela. Potevo uscire. Passeggiare con Owen e Daddy. Daddy era ossessionato da Owen, cosa che io considerai un segno di invecchiamento. Aveva sempre bisogno di sapere dove fossi io e dove fosse Owen, in ogni momento della giornata. Andò da Harrods e comprò un mucchio di accessori di design molto costosi, e scodelle di porcellana decorate con degli ossi. Prima che me ne rendessi conto, arrivarono un dog-sitter e un salone per cani specializzato. Owen si avvicinava alla mezza età e si era ammorbidito.

Anche il sesso era diverso, non con Owen, ovviamente, con Daddy. Ora non c'erano giochi. Non possedevo né l'energia creativa né la libido. Daddy mi scopava, ma lento e gentile, usava il cazzo per farmi venire piuttosto che la mente per eccitarmi. Non ci furono più sculacciate o punizioni, sebbene mi rimproverasse molto spesso e prendesse le decisioni per me, cosa che io gradivo.

Mi faceva andare a letto presto e cenare presto, e mi diceva esattamente cosa dovevo mangiare. C'erano zuppe sui vassoi, e porzioni salutari. Se mi lamentavo, mi minacciava, ma non mise mai in atto intimidazioni.

Giocavamo pulito: regolare, niente hanky-panky-spanky sadomaso. Conservava l'autorità e impartiva severe istruzioni riguardo al mangiare e al dormire. Ero un'invalida. Aveva ancora lui il controllo. A me piaceva così, e anche a lui.

Cominciai a riemergere nella primavera del 1989. I dettagli si illuminarono e io potei guardarli senza provare paura. Vedevo la bellezza, e vedevo anche che Daddy pareva più vecchio. Capelli grigi, spalle più sottili, ricurve, macchie sulla pelle, e ogni tanto dimenticava delle cose che gli avevo detto solo il giorno prima. Cominciammo a ripetere le conversazioni. Divenne difficile da accontentare, fastidioso, attaccato alle sue cose. Se dovevamo andare da qualche parte, c'erano interminabili discussioni sulla strada. Passava il tempo a dirmi cosa aveva letto sul «Daily Telegraph» o a discutere su quale fosse il modo migliore per lavare i decanter. Si lamentava per la cera delle candele o la posizione delle sedie, e di come ormai fosse impossibile avere una camicia decente. Mi annoiavo. Non volevo più essere la sua ragazzina. Volevo tornare in America.

«Grave errore» mi disse. «Sei vulnerabile. Sei stata molto malata. Credimi, Stella, ne ho visti di esaurimenti. Non tutti riescono a riprendersi la propria vita. Devi essere cauta. L'ha detto il dottor Meadows.»

Daddy voleva trattenere la ragazzina vulnerabile. In un certo senso non desiderava che crescessi. Ci adoravamo ancora, ma c'era stato un cambiamento. Le perversioni ogni tanto tornavano; di certo lui rimaneva dominante, di certo a me piaceva dover fare quello che mi veniva detto, perché mi faceva sentire protetta, di certo eravamo ancora eccitati l'uno dall'altra. Ma eravamo entrambi più fragili e cauti. Lui era stato ferito da Mandy; io lo ero stata dalla vita e dalla morte. Mi teneva ancora vicino, ed era lui l'uomo a letto, ma non giocavamo come un tempo.

A giugno ormai stavo bene e volevo procedere. Lo amavo, ma l'energia mi spingeva lontano da lui. Non potevo immaginare un futuro con lui. Be', potevo, ma era questo il problema: immaginavo il futuro con lui. Lo immaginavo, e implicava vivere nella stessa casa, parlare con i suoi amici e conoscere tutti i dettagli del mio destino. Sarebbe stato confortevole, ma non avventuroso.

Io non ero una moglie da trofeo; non ero una padrona di casa; non ero una madre. Non avremmo avuto alcun progetto da condividere, nessun interesse reciproco e nessun punto di riferimento comune. Non potevo soprassedere a questi dati di fatto.

«Conrad mi pagherà per aiutarlo nel nuovo libro» dissi. «Si tratta di leggere, non è neppure un lavoro. Mi pagherà abbastanza. Sono soltanto sei mesi. Sei mesi in libreria.»

«Non lo conosco neanche Conrad» disse Daddy. «È sicuro?»

"Sicuro quanto la nitroglicerina" pensai, ma non lo dissi. Il suo ultimo libro aveva portato all'arresto di due poliziotti. Ora stava indagando sui fondi dell'IRA. Aveva ricevuto un notevole anticipo e diverse minacce di morte.

«Non tornerai» disse Daddy. «Andrai in America e non tornerai.»

Sapevo che era vero.

Sapevo che Colin, l'amico di Kevin il parrucchiere, voleva prendere in affitto il mio appartamento.

Sapevo di piacere a Conrad.

Volevo andare.

Daddy e io non saremmo invecchiati insieme, ne ero

certa. Gli odori erano sbagliati. Il tempismo era sbagliato. La differenza d'età era sbagliata.

Fumai cinque sigarette mentre glielo dicevo. Eravamo nella sua casa in campagna.

Guardava fuori dalla finestra le terre ondulate e avvertii che percepiva la solitudine.

Si voltò verso di me e con mio grande orrore vidi che le lacrime correvano lungo il viso. Non sapevo cosa fare. Ero atterrita, avevo la nausea. Mi girava la testa mentre, disorientata, lo guardavo come avrei potuto guardare un mammifero sconosciuto che avanzava nella giungla. Mi raggelai, mi domandavo cosa sarebbe accaduto adesso.

Non singhiozzò, grazie a Dio, ma sembrava che avesse il cuore infranto. Sapevo che mi amava, e io amavo lui. Ma siccome ora stavo per partire, pensavo che per lui sarebbe stato semplice come per me.

Non potevo rimanere con un futuro colmo di malattie e vecchiaia, e la gotica evenienza dell'immobilità. Non ero il tipo da comportarmi da infermiera, a meno che non ci fossero le tinte di Benny Hill o delle sperimentazioni con procedure lascive e bizzarre attrezzature.

«Sono un uomo di mezza età» osservò. «Non un vecchio. Ma hai ragione. Questa fantasia deve finire e tu devi andare, altrimenti rischi di soffocare. Ti amo troppo per farti del male. E, ironicamente, sono troppo vecchio per te. Tu non ti sistemerai mai, Stella. E non penso che sia importante, fintanto che sarai felice. Sarai sempre bella perché, anche quando sarai più grande, avrai personalità ed estro.»

«E delle tette fantastiche» dissi.

«E delle tette fantastiche» convenne.

Incontrai Conrad all'aeroporto. Portava un impermeabile.

«Piove a Washington» disse.

"Grandioso" pensai, "ho preso le scarpe sbagliate."

«Quello è tutto il tuo bagaglio? Sei sempre stata una zingara.»

Avevo una piccola ventiquattrore.

«Posso comprare qualcosa quando arrivo» dissi.

«No, con quello che ti pago.»

Sorrise e mi abbracciò. «Sono felice che tu sia qui.»

Aveva lui i biglietti. «Dammi il passaporto» disse. «E abbottonati, si vede il reggiseno.»

«Io non porto reggiseno.»

Si chinò e guardò meglio. «Oh, no, mi sono sbagliato, be', dovresti. E non rispondere.»

Misi il muso, ma feci quello che mi aveva detto, visto che lui continuava a fissare possessivo i miei seni.

«E non tenermi il muso.»

Mi diede i soldi per i dolci e volammo in prima classe.

Questo libro non è vendibile
se sprovvisto del presente tagliando
PROVA D'ACQUISTO
Piemme
OGNI MIO DESIDERIO
8809-2